Kartoffeln

Die besten Gerichte aus der Kartoffelküche

Kartoffeln

Die besten Gerichte aus der Kartoffelküche

Mit über 170 Rezepten und brillanten Fotos ist dieses Buch eine Fundgrube für Alltagsköche, Schlemmer und Genießer. Erleben Sie Kartoffeln als wahre Delikatesse für jede Gelegenheit.

Unipart-Verlag • Stuttgart

INHALT

VORWORT

Von der äußeren Erscheinung auf etwaige innere Werte zu schließen, ist stets ein heikles Unternehmen. Nicht jeder, der sich mit prächtigen Kleidern schmückt, ist auch reich. Manche sind bloß neureich und wollen ihren schnell erworbenen Wohlstand zur Schau stellen. Andere sind vielleicht einfach nur Hochstapler. Andererseits ist nicht jeder ein Bettler, der sich ärmlich und zerlumpt zeigt.

Rein äußerlich hat die Kartoffel nicht viel zu bieten. Wir kennen sie braun, runzlig und schmutzig. Neben all dem polierten und farbenprächtigen Gemüse, zwischen Paprika und Rettich, Radieschen und Auberginen, Gurken und Karotten, erscheint die Kartoffel als der Bettelmann unter den Gemüsesorten.

Doch hier täuscht der Schein, denn die Kartoffel ist ein wahrer Schatz. Die schönsten Schätze der Welt sind doch die, die von verwegenen Piraten auf exotischen Inseln versteckt wurden. Wie jeder Piratenschatz, so wartet auch die Kartoffel unter der Erde auf ihren glücklichen Finder. Zum Glück sind die Kartoffeln leichter zu finden. Und ein etwas böses Sprichwort behauptet sogar, daß die dümmsten Bauern die größten Kartoffeln ernten.

Wie dem auch sei, Tatsache ist, daß Kartoffeln in der heutigen Zeit nicht mehr so geschätzt werden wie noch vor einigen Jahren. Reis und Nudeln haben der Kartoffel den Vorrang unter den Beilagen streitig gemacht.

Immer mehr Menschen achten heute darauf, sich bewußt kalorienarm und fettarm zu ernähren. Die Kartoffel hat in solchen Zeiten einen schweren Stand, denn sie muß mit dem Ruf eines Dickmachers fertig werden. Dieser Makel haftet der Kartoffel allerdings ganz zu Unrecht an. Tatsächlich gehört sie nämlich zu den gesunden und kalorienarmen Nahrungsmitteln. Dick macht nicht die Kartoffel, sondern die fette, sahnige Soße, in der die Kartoffel schwimmt, oder das fettreiche Fleisch. Und wenn Bratkartoffeln in Öl schwimmend herausgebacken werden, dann kann es nicht überraschen, daß sie dick machen.

Bei Genießern und Feinschmeckern ist ein lautes Loblied allerdings kaum notwendig, denn sie haben die Kartoffel stets hoch geschätzt.

Beliebt war und ist die Kartoffel nicht nur aus gesundheitlichen Gründen, denn es gibt auch genügend praktische.

Zum Beispiel sind Kartoffeln fast ganzjährig frisch erhältlich. Dazu sind sie billig, leicht zuzubereiten, und sie sind sehr vielfältig zu verwenden.

Etwa als Vorspeise. Stellen Sie sich hier nur eine heiße und duftende Kartoffelsuppe vor. Sie kann sowohl deftig sein, als auch den feinen Gaumen eines Gourmets verwöhnen. Solch eine Suppe oder ein Eintopf kann auch ohne weiteres zur alleinigen Hauptspeise aufsteigen.

In dieser Funktion glänzen auch Bratkartoffeln, die nicht notwendigerweise biedere Hausmannskost sein müssen. Wenn die richtigen Kartoffeln richtig zubereitet werden, dann können Bratkartoffeln sehr wohl ein Leckerbissen für Feinschmecker sein.

Meistens jedoch werden Kartoffeln als Beilage zubereitet. Ob das nun die Salzkartoffeln zum feinen Fisch sind, oder Pommes Frites zum Schweineschnitzel, ob Kroketten zum Braten, ob Thüringer Klöße oder knusprige Kartoffelbauzen.

Für vegetarische Gerichte eignet sich die Kartoffel besonders. Sie harmoniert mit allen Gemüsearten und gibt einem Auflauf nicht nur geschmacklich den nötigen Halt.

Auf kaum einem Büfett werden Sie einen Kartoffelsalat vermissen. Und gerade hier ist Ihre Phantasie gefragt, denn die Möglichkeiten für Kartoffelsalate sind praktisch unbegrenzt. Ob sie ihn pikant und feurig würzen oder schlicht und klassisch, ob sie ihn sündhaft sahnig präsentieren oder traumhaft süß-sauer, ob sie ihn gesundheitsbewußt leicht anrichten oder mit dem Fischgeschmack der Weltmeere - immer ist der Kartoffelsalat heiß begehrt.

Und zum guten Ende sind Kartoffeln sogar süß ein Genuß, besonders fein zum Beispiel mit Aprikosen.

Doch selbst wenn das eigentliche Essen vorüber ist, gibt es immer noch Genuß aus der Kartoffel. Denn nach dem Essen genehmigen wir uns vielleicht noch einen eisgekühlten Wodka. Diese Delikatesse wird zwar meist aus Getreide destilliert, kann aber ebenso gut auch aus Kartoffeln hergestellt werden.

Und zum Knabbern reichen Sie am besten Kartoffelgebäck, knackig frisch und lecker gewürzt.

Wie das Fest auch heißen mag, mit Kartoffeln gehen Ihnen die Variationsmöglichkeiten garantiert nie aus.

Zwar vielfältig verwendbar, sehen die Kartoffeln für den Laien doch alle gleich aus. Der Fachmann ist da freilich ganz anderer Meinung. Für ihn unterscheiden sich die Kartoffeln nicht nur in Form, Färbung und Herkunft, sondern vor allem in der Konsistenz und im Geschmack.

Die Kartoffel in all ihren Formen und mit allen ihren Möglichkeiten in der modernen Küche aufzuzeigen, das ist das erklärte Ziel dieses Buches. Es bietet ihnen eine umfangreiche Warenkunde mit allen wichtigen Informationen zum Thema Kartoffel.

Doch vor ermüdender grauer Theorie braucht sich niemand zu fürchten. Mit farbenprächtigen Bildern und köstlichen Rezepten wird alles Erdenkliche für den guten Geschmack getan.

Der Rezeptteil bietet dabei für den Anfänger ebenso etwas, wie für die erfahrene Köchin. Die Rezepte sind sorgfältig erprobt und verfeinert. Jedoch sollten Sie bei allem nie vergessen, daß sich ein guter Koch nicht nur dadurch auszeichnet, daß er unzählige Rezepte auswendig kennt. Vielleicht ist es am wichtigsten, daß ein Koch oder eine Köchin sich stets den Spaß am Kochen bewahrt. Nur so kann man wahrhaft genießen, nur so erhält man sich die Neugier, um neue Nahrungsmittel auszuprobieren, unbekannte Gewürze zu verwenden, exotische Zutaten zu testen.

Wenn dieses Buch dazu beiträgt, daß Sie nicht nur nachkochen, sondern auch eigene Kreationen schaffen, dann ist viel erreicht, für Sie selbst, für den guten Geschmack und natürlich für die Kartoffeln.

Dazu wünschen wir Ihnen viel Muße und Spaß und einen guten Appetit.

Kartoffeln - rund und gesund

Gemüse ist ein wesentlicher Bestandteil unserer Ernährung. Die moderne Wissenschaft hat eindrucksvoll bewiesen, daß eine vollwertige Ernährung ohne Gemüse unmöglich ist. Manchmal werden Kartoffeln gar nicht zu den Gemüsen gerechnet, sondern zu den Ackerfrüchten. Aber wichtiger als eine schematische Einteilung ist doch der tägliche Gebrauch. Und hier wird die Kartoffel zweifelsohne als Gemüse verwendet.

Kartoffeln gehören mit vollem Recht ins Gemüsefach, wenn man nur berücksichtigt, welche glänzenden inneren Werte sie vorweisen können. Zwar besteht eine Kartoffel zu fast 80 % aus Wasser, aber in dem kleinen Rest ist reichlich Wertvolles gelöst.

Eiweiß

Eiweiß ist für unseren Körper lebensnotwendig. Weder die Muskeln noch die Organe könnten ihre Aufgaben ohne Eiweiß erfüllen. Auch das Blut und die Haut wären nicht lebensfähig.

Nun kann der Körper Eiweiß nicht selber im Stoffwechsel produzieren. Vielmehr muß es mit der täglichen Nahrung in ausreichender Menge zugeführt werden.

Wir unterscheiden zwischen tierischem und pflanzlichem Eiweiß. Das tierische galt lange als das wertvollere und deshalb auch als unverzichtbar. Diese Einschätzung hat sich mittlerweile geändert. Vor allem seit man herausgefunden hat, daß durch eine Kombination von verschiedenen pflanzlichen Eiweißen ein hochwertiges Eiweiß entsteht, das dem tierischen überlegen sein kann. Die besten Werte erhält man allerdings wenn tierisches und pflanzliches Eiweiß kombiniert wird. Das ist etwa beim Kartoffelbrei der Fall, bei dem tierisches Milcheiweiß mit Kartoffeleiweiß verbunden wird.

Von allen Kombinationen abgesehen ist das Kartoffeleiweiß aber auch für sich genommen wertvoll. Es vereinigt nämlich gesättigte und ungesättigte Aminosäuren in einem sehr günstigen Verhältnis, das heißt, diese essentiellen Fettsäuren können vom Organismus sehr leicht und effektiv aufgenommen und weiterverarbeitet werden.

Da macht es auch nichts aus, daß eine Kartoffel im Schnitt nur 2 % Eiweiß enthält. Aber diese 2 % sind eben von allererster Güte. Eine bessere biologische Wertigkeit haben unter all den Nahrungsmitteln ohnehin nur noch das Sojaeiweiß und das der Hülsenfrüchte.

Festkochende Sorten sind eiweißreicher als mehlige.

Ballaststoffe

Ballaststoffe sind nichtverdauliche Kohlenhydrate. Sie haben den Ruf als überflüssige Schlacke längst verloren. Wir wissen inzwischen wie wertvoll gerade diese Stoffe für eine reibungslose und wirksame Verdauung sind. Ballaststoffe nehmen auf ihrem Weg durch den Darm Fäulnis- und Giftstoffe auf und entsorgen diese, bevor sie dem Organismus lästig oder gar gefährlich werden können. Ballaststoffe liefern zwar keine Energie, füllen aber den Darm und bewirken dadurch ein Sättigungsgefühl, was uns davor bewahrt, zu viel zu essen.

Der Ballaststoffanteil der Kartoffeln ist etwa so hoch wie der an Eiweiß, also 2 %.

Stärke

Stärke gehört zu den verwertbaren Kohlenhydraten. Im Gegensatz zum Zucker wird die Stärke langsam abgebaut und dem Körper verfügbar gemacht. Stärke- und ballaststoffreiche Lebensmittel sind gerade für zuckerkranke Menschen sehr wertvoll.

Kartoffeln bestehen zu etwa 15 % aus Stärke.

Bei den mehligen Sorten ist der Stärkegehalt größer als bei den festkochenden.

Vitamine

Viele glauben, man müsse möglichst viel Zitrusfrüchte essen, wenn man sich ausreichend mit Vitamin C versorgen will. Dieses Vitamin ist sehr wichtig für ein aktives und stabiles Immunsystem. Es hilft, allen Arten von Infekten vorzubeugen und fördert außerdem die Wundheilung. Aber hätten Sie gedacht, daß eine unscheinbare Kartoffel bei 100 g Gewicht stolze 20 mg an Vitamin C liefert? Damit liegt die Kartoffel immerhin gleichauf mit der Ananas.

Auch das Vitamin Niacin steckt in der Kartoffel. Niacin sorgt für eine problemlose Verdauung und eine gleichmäßige Haut.

Von den Vitaminen der B-Gruppe finden wir vor allem das B1 und das B2 in relevanten Mengen vor. Beide sind wichtig, um gegen Haut- oder Verdauungsstörungen vorzubeugen.

Schließlich ist auch noch das Vitamin K, das die Blutgerinnung reguliert, in der Kartoffel enthalten.

Mineralstoffe

Natürlich weist die Kartoffel auch die wichtigen Mineralstoffe auf. In erster Linie ist hier Kalium zu nennen. Von diesem Mineral liefern Kartoffeln etwa 400 mg/100 g. Im Zusammenspiel mit Natrium reguliert Kalium den Wasserhaushalt jeder Körperzelle. Der Natriumgehalt liegt etwa bei 3 mg. Mit diesem Wert gehört die Kartoffel eindeutig zu den natriumarmen Lebensmitteln. Dann bietet eine Kartoffel durchschnittlich 0,8 mg Eisen, das im Blutkreislauf beim Sauerstofftransport benötigt wird. Auch Magnesium und Phosphor findet man in Kartoffeln. Von letzterem, das für die Festigkeit der Knochen mitverantwortlich ist, immerhin etwa 50 mg / 100 g.

Und schließlich liefert eine Kartoffel auch noch Calcium (10 mg), das für die Stabilität von Knochen und Zähnen gebraucht wird.

Fett

Wie es sich für ein gesundes Lebensmittel gehört, so liegt der Fettgehalt der Kartoffel fast bei Null. Rohe Kartoffeln bringen es allenfalls auf 0,1 % Fett.
Allerdings kann eine Kartoffel zur Kalorienbombe werden, wenn man sie fritiert oder durch die Mayonnaise im Salatdressing zieht.

100 g Chips liefern Ihnen 580 kcal., Sticks bringen es auf 500 kcal., mit Pommes frites kommen Sie fast auf 300 kcal., während Sie bei einfachen, gekochten Kartoffeln lediglich 70 kcal. konsumieren.

Kartoffeln in aller Welt

Kartoffeln gehören neben Reis, Mais und Weizen zu den weltweit am meisten angebauten und verbrauchten Nahrungsmitteln. Für diese Beliebtheit gibt es natürlich verschiedene Gründe. Daß Kartoffeln schmecken und daß sie gesund sind, das steht fest.

Entscheidend ist jedoch, daß die Kartoffel keine sehr anspruchsvolle Pflanze ist. Sie braucht ausreichend Wasser und muß vor Bodenfrost geschützt sein. Sind diese Bedingungen erfüllt, dann gedeiht sie in vielen Weltgegenden, im gemäßigten Klima ebenso wie im tropischen oder subtropischen, in Peru ebenso wie in China, in den USA ebenso wie in Israel, in England oder in Afrika, im privaten Gärtchen ebenso wie auf dem großen Acker.

So weit man es wissenschaftlich zurückverfolgen kann, stammt die Kartoffel ursprünglich aus Südamerika, genauer gesagt aus dem Hochland der Anden. In den Staaten Kolumbien, Peru, Bolivien oder Chile findet man neben den verschiedenen kultivierten Sorten immer noch einige wildlebende Arten der Kartoffel sowie verschiedene andere Wurzelgemüse.

Bei der Besiedelung der Hochanden wurden einige dieser wilden Kartoffelarten domestiziert. Das dürfte sich etwa 5000 Jahre vor Christus abgespielt haben und ist durch viele archäologische Funde bestätigt.

Der Schatz der Inkas

Die Geschichte der spanischen Eroberungszüge in Südamerika ist schrecklich und blutig. Sie ist von Augenzeugen ungeschminkt beschrieben worden. Einer von diesen war Pedro Cieza de Léon (1520-1554). Von ihm stammt ein Reisebericht, in dem das Leben und die Kultur der Inkas ausführlich dargestellt werden. Dabei wird die Kartoffel zum ersten Mal erwähnt. Während der Mais in tiefer gelegenen Gebieten die am meisten angebaute Frucht sei, spiele die Kartoffel im Hochland diese Rolle. Cieza de Léon verglich die Kartoffeln mit Trüffeln: beide wachsen unterirdisch und haben weder Schale noch Kern. Gekochte Kartoffeln schmeckten dem spanischen Reisenden wie gebratene Maronen. Cieza de Léon berichtet auch, daß die Inkas die Kartoffel haltbar machten, indem sie die geernteten Knollen trockneten. Dazu wurden sie tagsüber der Sonne und nachts der Kälte ausgesetzt. Damit waren die Indios praktisch die ersten, die ein Verfahren zur „Gefriertrocknung" kannten.

Die so erhaltenen Trockenfrüchte, „chuno" genannt, waren mindestens bis zur nächsten Ernte haltbar und eine sichere Rücklage für die harten Winter und bei Hungersnöten. „Chunos" wurden schon von den Spaniern als billige und praktische Ernährung für die Arbeiter in Silberminen verwendet.

Den Spaniern war es demnach auch zu verdanken, daß die Kartoffel den Weg nach Europa fand. Aber es waren nicht in erster Linie die von Cieza de Léon beschriebenen Vorzüge, die die Kartoffel bei uns bekannt machten.

Die Kartoffel – Neuling in der Alten Welt

Mögen die Knollen der Kartoffelpflanze auch nährreich sein, ihre ästhetischen Reize sind doch sehr bescheiden. Ganz anders die Blüten. Sie glänzen mit einer verblüffenden Vielfalt von Formen und Farben. Tatsächlich war die Kartoffel im 16. und 17. Jh. für die Europäer eine exotische Pflanze, die vor allem als Zierblume geschätzt wurde.

Natürlich hatten die Spanier den Wert der Kartoffel als Nahrungspflanze schon erkannt. Aber der großflächige, systematische Anbau kam nur sehr langsam in Gang. Von Spanien aus wurde die Kartoffel schnell in ganz Europa bekannt. Die Portugiesen brachten die Kartoffel sogar bis in ihre indischen Provinzen, wo sie erfolgreich angepflanzt wurde.

Die nach Europa eingeführten Arten entfalteten sich am besten im Mittelmeerraum und in Irland, also in Gegenden mit einem milden Winter.

Erst im 18. Jh. wurde die Kartoffel nach und nach in verschiedenen Ländern zu einem Grundnahrungsmittel, so etwa in England und Irland, aber auch in Deutschland.

In ganz Europa nahm die Bevölkerung in dieser Zeit sprunghaft zu. Kartoffeln erschienen als ein billiges und sicheres Mittel, die Versorgung der Bevölkerung sicherzustellen und etwaigen Hungersnöten vorzubeugen.

In Irland führte das allerdings zu einer fatalen Entwicklung. Kartoffeln wurden nämlich in Monokultur angebaut und waren bald das alleinige Nahrungsmittel für den Großteil der Bevölkerung. In den Jahren 1845/1846 kam es zur Katastrophe. Fast die gesamte Ernte wurde durch die Krautfäule, eine Pilzkrankheit, vernichtet. Es kam zur größten Hungersnot in der Geschichte Irlands. In diesen und den darauf folgenden Jahren verhungerten weit über eine Million Iren und fast ebenso viele wanderten aus, vor allem nach Amerika.

Irland ist übrigens auch heute noch das Land mit dem höchsten jährlichen Pro-Kopf-Verbrauch an Kartoffeln (fast 140 kg).

Kartoffeln in Deutschland

Auch in Deutschland wurde die Kartoffelpflanze anfänglich nur wegen ihrer Blüten geschätzt.

Anfang des 17. Jh. wird zum ersten Mal von Kartoffelanbau in Deutschland berichtet.

Für die Ausbreitung als Nutzpflanze war vor allem Friedrich der Große verantwortlich. Sowohl als Herrscher in Friedenszeiten wie auch als Oberbefehlshaber im Krieg hatte er größtes Interesse daran, daß sein Volk gut genährt war. Da kam die billige und stärkereiche Kartoffel wie gerufen.

Allerdings waren die Bauern dem exotischen Gewächs gegenüber lange Zeit mißtrauisch eingestellt. Mit einem Trick soll der König jedoch das Ansehen der Kartoffel gesteigert haben. Er ließ die königlich-preußischen Versuchsäcker tagsüber streng bewachen; dadurch entstand der Eindruck, die dort angebauten Kartoffeln müßten wohl etwas besonders Wertvolles sein. Nachts hingegen wurden die Äcker nicht bewacht, und so konnte es nicht verwundern, daß die Felder immer wieder leergeplündert wurden. So verbreitete sich das „kostbare" Pflanzgut rasch übers ganze Land. Nach und nach fanden die Menschen Geschmack an der Kartoffel. Sie wurde bald nicht mehr nur gestohlen, sondern ganz offiziell angebaut. Zum Glück für die Bevölkerung, denn ohne die Kartoffeln wäre die Versorgung mit Lebensmitteln während der unzähligen Kriegszeiten im 18. und 19. Jh. unmöglich gewesen.

Kartoffeln in jeder Form

Die Sortenvielfalt bei Kartoffeln ist eigentlich nur für einen Fachmann oder einen Händler halbwegs überschaubar.

Zugegeben: wenn man Kartoffeln voneinander unterscheiden will, dann muß man ein wenig genauer hinschauen als etwa bei Äpfeln. Aber die Unterschiede sind da. Und es lohnt sich allemal, wenn man sich in der Kartoffelwelt ein wenig auskennt.

Von den unzähligen Sorten werden viele nur für industrielle Zwecke benötigt. Aus einigen wird Alkohol destilliert, andere werden nur zur Züchtung neuer Sorten verwendet.

Durch ständige Neuzüchtungen und Kreuzungen verändert sich die Zahl der Kartoffelsorten ständig. In Deutschland werden etwa 150 Sorten anerkannt und angebaut. Im Gebiet des europäischen Marktes sind es schätzungsweise 400-500 Sorten. Für unseren Zweck sind natürlich nur die Speisekartoffeln wichtig.

Man unterscheidet die Kartoffeln traditionell nach ihrer Reife- und Erntezeit. Entsprechend kennen wir „**sehr frühe**", „**frühe**", „**mittelfrühe**", „**späte**" und „**sehr späte**" Sorten. Dazu kommen dann noch die ausländischen Sorten, die durch andere klimatische Bedingungen auch andere Reifezeiten haben. Was wiederum den Vorteil hat, daß bei uns zu jeder Jahreszeit frische Kartoffeln im Angebot sind.

Frühkartoffeln

Frühkartoffeln haben unter Feinschmeckern einen sehr guten Ruf. Die Schale ist noch ganz zart und läßt sich mit der bloßen Hand abreiben. Im Unterschied zu allen anderen Kartoffeln kann die Schale mitgegessen werden. Frühkartoffeln werden unter schützenden Folien aufgezogen. Sie werden bereits in den Wintermonaten gepflanzt. Aus diesem Grund bestimmt die Dauer und die Härte des Winters die Qualität der Frühkartoffeln. Sie sind in der Regel schon im Juni erntereif und sollten dann auch rasch verkauft und verzehrt werden. Das nicht nur, weil Frühkartoffeln frisch am besten schmecken, sondern auch weil sie nicht lange haltbar bleiben. Zum Einkellern sind sie gar nicht geeignet. Länger als zwei Wochen sollten Frühkartoffeln nicht aufbewahrt werden, und auch das nur in dunklen Räumen.

Sehr frühe Kartoffeln

Ihre Erntezeit beginnt im Juni unmittelbar nach der der Frühkartoffeln. Die Schale ist schon fest und wird nicht mehr mitgegessen. Der Geschmack ist nicht mehr ganz so fein wie bei den Frühkartoffeln.

„Sehr frühe" Kartoffeln sind wie die Frühkartoffeln zum sofortigen Gebrauch nach der Ernte bestimmt. Sie eignen sich ebenfalls nicht zur Einkellerung und sind auch im Haushalt nur sehr kurz lagerfähig.

In diese Gruppe gehören einige bekannte Sorten: Arkula, Atica, Berber, Christa, Gloria, Hela (sie ist die Ausnahme von der Regel, sie kann nämlich eingelagert werden) Karla, Layla oder Ukama.

Fast alle sind länglich oval und haben eine glatte, gelbliche Haut. Die Augen sind in der Regel nur flach. Die „sehr frühen" Kartoffeln sind einander auch in ihren Kocheigenschaften ähnlich, sie sind nämlich alle „vorwiegend festkochend". Das Fleisch ist gelb.

Frühe Kartoffeln

Sie werden zwischen Anfang Juli und Mitte August geerntet. Sie haben bereits eine feste Schale. Dadurch bleibt die Feuchtigkeit erhalten und man kann diese „frühen" Kartoffeln bereits bis in den späten Herbst hinein im Haushalt aufbewahren.

Bekannte Sorten sind die Arnika, Cinja, Karat oder Rikea. Sie sind allesamt „vorwiegend festkochend": Während die Schale gelb ist, schwankt die Fleischfarbe zwischen hell- und dunkelgelb. Die Schale ist meist glatt und die Vertiefungen sind flach.

Bei den „frühen" Sorten gibt es auch einige „festkochende". Dazu gehört die Forelle, vor allem aber die Sieglinde, wahrscheinlich eine der bekanntesten Sorten überhaupt.

Mittelfrühe Kartoffeln

Sie sind frühestens Mitte August reif und werden spätestens Ende September geerntet. Sie haben eine sehr feste Schale und sind deshalb zu Lagerung und Einkellerung sehr gut geeignet. In dieser Gruppe gibt es die größte Sortenvielfalt. Einige der bekanntesten „festkochenden" Kartoffeln sind Exquisa, Hansa, Linda oder Nicola.

„Vorwiegend festkochende" Sorten sind Grandifolia, Koretta, Lilu, Quarta, Roxy oder Solina.

„Mehlige" Sorten sind Adretta, Irmgard und Likaria.

Alle diese „mittelfrühen" Kartoffeln haben gelbes Fleisch und eine glatte bis leicht rauhe Haut.

Mittelspäte und späte Kartoffeln

Diese Sorten werden zwischen Mitte September und Ende Oktober geerntet. In diese Gruppe gehören Aula, Datura, Isola und Saturna. Sie sind eher rundlich-oval und, mit Ausnahme der „vorwiegend festkochenden" Isola, allesamt „mehlig" kochend.

Ausländer und Exoten

Die Einteilung in die oben genannten Gruppen richtet sich nach dem Reifegrad der Kartoffeln.

In anderen Gegenden und Klimazonen angebaute Knollen lassen sich jedoch nicht in dieses Schema pressen. So werden beispielsweise aus Sizilien vor allem Kartoffeln der Sorte Sieglinde importiert. Diese kommen hier zu einem Zeitpunkt auf den Markt, an dem die einheimische Sieglinde noch Winterschlaf hält.

Fast jedes Land hat sich für den Export nach Deutschland auf einige wenige Sorten spezialisiert. Die wichtigsten Lieferanten sind Italien, Spanien und Frankreich. Weitere wichtige Kartoffelanbauer sind die Länder der ehemaligen Sowjetunion, England oder China.

Israel liefert die ersten Kartoffeln schon im Januar in unsere Läden. Auch aus arabischen (Ägypten) und afrikanischen Ländern (Marokko, Tunesien) kommen Kartoffeln zu uns.

Kartoffeln mal anders

Kartoffelprodukte

Der Verbrauch von Kartoffeln ist in den letzten 40 Jahren beständig zurückgegangen. Wenn man die Kartoffeln nicht rechnet, die von Bauern und Privatleuten in kleinen Mengen zum Eigenverbrauch angebaut werden, so bleiben es immer noch gut 70 Kilogramm Kartoffeln, die jeder Bundesbürger jährlich verzehrt. Dabei ist der Verbrauch in den letzten Jahren wieder langsam angestiegen. Während der Verbrauch roher Kartoffeln zurückging, stieg der von Kartoffelprodukten sehr stark an. Man rechnet im Augenblick bereits mit über 30 Kilogramm pro Bundesbürger und Jahr. Unter dem Begriff Kartoffelprodukte wird eine große Anzahl von Nahrungsmitteln zusammengefaßt, von Chips und anderem Kartoffelgebäck, über Kroketten und Kloßpulver, bis zu Pommes frites oder Püree.

Pommes frites

Sie werden vorwiegend tiefgefroren angeboten. Vor dem Frosten werden sie allerdings im heißen Fettbad gebacken.

Tiefgefrorene Produkte haben stets den Vorteil langer Haltbarkeit, in der Regel sind das einige Monate. Auch ist bei den modernen Gefrierverfahren kaum mit einem

Verlust an Nährstoffen zu rechnen.

Die Normen für die industrielle Herstellung sind streng und zahlreich. Auf diese Weise wird sichergestellt, daß die Kartoffelstäbchen in etwa die gleiche Länge und Dicke haben. Außerdem ist auch zwingend vorgeschrieben, daß die Pommes nicht zu viele dunkle Stellen aufweisen dürfen.

Aus gesundheitlicher Sicht sind solche industriell vorgefertigten Pommes frites nicht ganz unbedenklich. Beim Fritieren vor dem Einfrosten nehmen die Kartoffeln schon eine gehörige Menge an Fett auf, und zwar bis zu 9 % des Gesamtgewichtes. Werden die Pommes dann im Haushalt endgültig fritiert, wird erneut eine große Menge Fett aufgesaugt, etwa 6 % des Gewichtes. Insgesamt stecken also in jedem einzelnen Kartoffelstäbchen bis zu 15 % Fett. Mit Recht werden die Pommes als Kalorienbomben bezeichnet.

Allerdings können Sie mit einfachen Mitteln den Fettgehalt reduzieren. Anstatt die Pommes schwimmend im Fett herauszubacken, können sie im Backherd auf dem Backblech oder Backpapier liegend gebraten werden. Auch in geeigneten Pfannen, vor allem aber im Grill ist eine schonende Zubereitung ohne Fettzusatz möglich.

Kroketten

Wer sie nicht frisch zubereiten will, der verwendet Krokettenpulver, das ähnlich hergestellt wird, wie das Püreepulver. Und wer es noch einfacher will, der greift sich tiefgefrorene Kroketten aus der Kühltruhe, die nur noch ausgebacken werden müssen.

Knödel / Klöße

Ob roh, gekocht oder halb und halb, der Verbraucher hat auch hier die Qual der Wahl. Je nach Zweck werden die Knödelmehle aus Kartoffelreibseln, -püree, -flocken oder gemahlenen Trockenkartoffeln hergestellt. Kartoffelreibsel werden von rohen Kartoffeln abgerieben und dann getrocknet. Sie sind der Hauptbestandteil bei „rohen" Klößen.

Dazu kommen Bindemittel, wie Kartoffelstärke, Salz, Gewürze sowie weitere Aroma und Zusatzstoffe. Durch diese Bindemittel erreichen Knödel einen wesentlich höheren Kalorienwert als etwa eine vergleichbare Menge gekochter Kartoffeln.

Zusätzlich gibt es auch tiefgefrorene Knödel zu kaufen, die lediglich noch erhitzt werden müssen.

Püree

Wer sein Kartoffelpüree nicht mühsam selber zubereiten will, der kann aus einer großen Zahl von Fertigprodukten auswählen. Bei der industriellen Herstellung werden Kartoffeln geschält, zerkleinert, gekocht und anschließend schonend getrocknet. Dabei entsteht ein Trockenprodukt, das sehr gut ausquillt, wenn man es mit Wasser und Milch anmischt. In manchen Pürees sind schon Trockenmilcherzeugnisse verarbeitet, so daß durch einfache Beigabe von Wasser in kürzester Zeit ein Püree tischfertig ist. Trockenpüree reagiert sehr empfindlich auf den Luftsauerstoff. Eine geöffnete Packung muß daher möglichst rasch verarbeitet werden.

Reibekuchen

Die fertigen Mischen werden ebenfalls aus getrockneten Kartoffeln hergestellt, hauptsächlich aus Kartoffelreibseln. Zusätzlich werden dem Trockenpulver Gewürze und Salz beigemischt.

Kartoffelkonserven

Diese Kartoffeln werden hitzesterilisiert und dabei gleich vollständig gegart. Sie eignen sich besonders für die schnelle Küche, da sie nicht mehr gekocht, sondern nur noch erhitzt werden müssen.

Zur Herstellung eignen sich nur festkochende Sorten, weil mehlige bei der Hitzesterilisation eher zerfallen würden.

Angeboten werden meistens kleine Knollen in Gläsern; sie sind geschält und schwimmen in einem Wasseraufguß. Aber es gibt auch geschnittene Kartoffeln, die für Salate und Bratkartoffeln verwendet werden können.

Chips

Fernsehen ohne dabei zu knabbern, ist für manch einen gar nicht denkbar. Aber auch in geselliger Runde sind die angebotenen Knabbersachen stets schneller aufgebraucht als man denkt.

Beliebt sind Chips und Sticks vor allem wegen der besonderen, meist recht deftigen Würzung. Wer mit den hauchzarten Chips einen großen Hunger stillt, der sollte allerdings bedenken, daß diese Knabbereien zu 30–40 % aus Fett bestehen.

Kartoffelchips kann man natürlich auch selber herstellen. Dazu schneidet man rohe geschälte Kartoffeln in sehr feine Scheibchen und legt sie einige Minuten in Salzwasser ein. Nachdem die Chips getrocknet sind, werden sie in reichlich Fett goldgelb ausgebacken.

Kartoffelmehl

Wird aus getrockneten Kartoffeln hergestellt. Es ist sehr quellfähig und eignet sich deshalb sehr gut zum Abbinden von Saucen und Suppen.

Einkauf und Lagerung

Der richtige Zeitpunkt

Kartoffeln sind fast das ganze Jahr über im Handel frisch erhältlich.

Je nach Sorte haben sie eine Reifezeit von 100–130 Tagen. Die Saatkartoffeln können frühestens Ende März ausgelegt werden. Deshalb sind Frühkartoffeln im Juni erntereif. Da viele Verbraucher auch in der Zeit von Januar bis Juni frische Produkte wünschen, sind wir auf Importe aus den Ländern um das Mittelmeer angewiesen. Dort können die Kartoffeln wegen der günstigeren klimatischen Voraussetzungen früher ausgesetzt werden.

Schon im Januar werden israelische Kartoffeln angeboten. Im Anschluß kommen Produkte aus Tunesien und Marokko auf den Markt, gefolgt von italienischen und französischen Erzeugnissen.

Festkochend oder mehlig?

Das entscheidende Kriterium beim Kartoffelkauf ist die gewünschte Kocheigenschaft. Üblicherweise unterscheidet man festkochende Sorten, vorwiegend festkochende und mehlige.

Der Unterschied resultiert aus dem unterschiedlichen Gehalt an Stärke. Je weniger Stärke, desto fester kocht die Kartoffel. Festkochende Knollen haben in der Regel einen höheren Eiweißanteil.

Zu welcher Sorte Sie greifen, ist allein abhängig von Ihrem Geschmack und vom jeweiligen Verwendungszweck. Festkochende Kartoffeln werden gelegentlich auch als Salat- oder als Speckkartoffeln angeboten. Diese Sorten sind gefragt, wenn die Kartoffeln in dünne Scheiben geschnitten werden sollen, wie es etwa bei Salaten oder Gratins der Fall ist. Die Schalen platzen beim Kochen nicht auf. Das Fleisch ist fest und feucht.

Mehlig kochende Sorten haben einen besonders hohen Stärkeanteil. Ihre Schalen platzen beim Kochen sehr bald. Sie zerfallen schneller als die anderen Sorten. Sie sind immer geeignet, wenn Kartoffeln püriert, gestampft, gerieben oder sonstwie zerkleinert werden, also etwa für Reibekuchen, Klöße oder Püree. Auch für Eintöpfe sind mehlig kochende Sorten vorzuziehen, denn sie zerfallen, werden schnell sämig und geben dem Eintopf die gewünschte Bindung.

Vorwiegend festkochende Kartoffeln nehmen eine Zwischenstellung ein, sind nicht zu fest, aber auch nicht zu mehlig. Besonders beliebt sind sie als Beilage, also für Pellkartoffeln, weil sie Sauce gut aufsaugen, aber dennoch kompakt und fest bleiben. Aber auch für Bratkartoffeln sind sie gut geeignet.

Zu welcher Sorte die Köche mit Vorliebe greifen, scheint auch regional unterschiedlich zu sein. In Norddeutschland werden die festkochenden Sorten eindeutig bevorzugt, während im Süden die mehligen favorisiert sind. Festkochende werden hier fast nur für Salate benützt, während im Norden mehlige Sorten höchstens für Püree verwendet werden.

Augen auf beim Kauf!

Kartoffeln werden in zwei Handelsklassen angeboten, entweder als „I" oder als „extra". Wichtiger als solche Bezeichnungen ist jedoch der Augenschein. Grundsätzlich sollten Kartoffeln sortenrein sein, damit man nicht mit unterschiedlichen Koch- und Geschmackseigenschaften rechnen muß. Darüber hinaus sollten die Größenunterschiede der einzelnen Knollen nicht zu deutlich sein.

An den Schalen darf nicht zu viel Dreck haften. Sie sollten stets schön fest sein, glatt und keinesfalls runzlig. Auch dürfen die Knollen keine dunklen oder faulen Stellen aufweisen.

Lange Keime, grüne Stellen oder dunkle Flecken im Inneren sind ebenfalls Kennzeichen minderer Qualität.

Wenn möglich, sollten Sie Ihre Kartoffeln frisch und offen kaufen, am besten auf einem Wochenmarkt oder direkt beim Bauern selbst.

In Folie abgepackte Waren müssen ausgepackt werden, wenn sie nicht gleich Verwendung finden. Das Treibhausklima in solchen Kunststoffverpackungen fördert ansonsten unerwünschte Keimung und Fäulnisprozesse.

Einkellern

Da Kartoffeln heute fast immer frisch zu bekommen sind, ist das Einkellern ein wenig aus der Mode gekommen. Noch dazu wo die modernen Wohnungen und Häuser nur noch selten über einen Keller verfügen, der als Vorratsraum geeignet wäre. Dazu müßte er nämlich dunkel und kühl sein.

Dunkelheit ist wichtig, weil Kartoffeln unter Lichteinfluß das grüne, giftige Solanin bilden. Kartoffeln mit grünen Stellen müssen stets aussortiert werden.

Eine mittlere Temperatur von 5 °C gilt als optimal. Wenn es kälter ist, dann kann sich die Kartoffelstärke in einem chemischen Prozeß teilweise in Zucker verwandeln. Anschließend schmecken die Kartoffeln aufdringlich süß. Um diesen Geschmack wieder zu entfernen, müssen die Kartoffeln sorgfältig gewässert und abgebürstet werden.

Bei einer Lagertemperatur von mehr als 5 °C beginnen die Kartoffeln nach einiger Zeit zu keimen. Es bilden sich die bekannten Auswüchse. Diese sehen einmal nicht gerade appetitlich aus; zum anderen verlagert die Kartoffel alle wichtigen Nährstoffe in diese Keime, während die Knolle langsam verkümmert.

Feuchtigkeit ist ebenfalls ein Faktor, der unerwünschte Keimung begünstigt. Ein Kellerraum sollte deshalb außerdem trocken sein und die Luft gut zirkulieren können.

Kartoffeln, die eingekellert werden sollen, müssen eine feste, ausgereifte und unbeschädigte Schale besitzen.

Mit einer einfachen Probe können Sie feststellen, ob Kartoffeln zum Einkellern geeignet sind. Halbieren Sie dazu eine Kartoffel und reiben Sie die Teile mit den Schnittflächen aneinander. Wenn die Teile kleben bleiben und sich an den Rändern feiner Schaum bildet, dann sind die Kartoffeln vorratstauglich.

Sie können zwar mehrere Sorten einlagern, aber jede Sorte separat!

Kartoffeln werden nicht einfach auf den Boden geschüttet, sondern auf ein Holzgitter, damit immer ein Luftaustausch von unten her stattfinden kann.

Schichten Sie die Kartoffeln niemals höher als einen dreiviertel Meter übereinander. Sonst wird der Druck für die unteren zu groß.

Außerdem müssen die Knollen zum Einlagern absolut trocken sein, da sie sonst bald faulen.

Wie Sie sehen, es ist gar nicht so schwierig, Kartoffeln zu lagern. Auch wenn frische Ware immer zu haben ist, so sparen Sie doch insgesamt eine Menge Arbeit und Geld, wenn Sie Ihren eigenen Vorrat im Keller haben.

Kartoffeln garen - gar nicht schwer

Kartoffeln müssen wegen des giftigen Solanins stets gegart werden. Bleibt also nur die Frage, ob mit oder ohne Schale, ob im Ganzen, in Scheiben oder püriert - die Möglichkeiten mit Kartoffeln sind fast unbegrenzt.

Salzkartoffeln bereitet man entweder in einem **herkömmlichen Kochtop**f oder in einem **Schnellkochtopf** zu. Dazu werden die Kartoffeln gewaschen, geschält und in etwa gleich große Stücke geschnitten. Nur soviel Wasser zugeben, daß die Kartoffeln nicht ganz bedeckt sind. Salzkartoffeln sollen trotz des Namens nicht nach Salz schmecken. 1 Teelöffel pro Liter ist die maximale Menge. Je nach Größe der Kartoffeln dauert es 15-25 Minuten, bis sie gar sind. Das kann man leicht feststellen, indem man mit einem Messer in die Kartoffel sticht; wenn das ohne Widerstand möglich ist, dann ist die Kartoffel fertig. In einem Schnellkochtopf geht das alles in höchstens 8-10 Minuten.

Salzkartoffeln können Sie aber auch in der **Mikrowelle** zubereiten, was mehrere Vorteile bietet. Zum einen sind die Kartoffeln hier noch schneller gegart. Allerdings sollten Sie sie nach Ende der Garzeit noch einige Minuten stehen lassen, damit sich die Hitze auch gleichmäßig verteilt, und die Kartoffeln durch und durch gegart sind. Zum anderen brauchen die Kartoffeln kaum Flüssigkeit zum Garen. Einige Eßlöffel Wasser reichen schon aus. Das bewahrt die wertvollen Inhaltsstoffe der Kartoffeln davor, ausgespült und weggegossen zu werden.

Wer auf schonende Zubereitung Wert legt, der wird ohnehin **Pellkartoffeln** bevorzugen. Die Kartoffeln werden dabei in der Schale gekocht. Pellkartoffeln können Sie ebenfalls in den oben genannten Geräten garen.

Der einzige Unterschied liegt darin, daß alles ein wenig länger dauert. Pellkartoffeln können Sie auch im Ofen backen. Wickeln Sie die Kartoffeln einfach in **Alufolie** ein, oder legen Sie die halbierten Kartoffeln auf ein Blech, das dünn mit Öl bestrichen ist.

Nicht jedermann kennt den **Kartoffelteufe**l. Das ist ein Tontopf, in dem die Kartoffeln ohne Wasser langsam gegart werden. Wer ihnen eine Stunde Zeit läßt, der wird mit einem angenehm rauchigen Geschmack reich entschädigt.

Kartoffeln werden freilich nicht nur gekocht. Weithin beliebt sind sie gebraten oder fritiert. Daß man dazu nur bestes und frisches Fett verwenden sollte, versteht sich wohl von selbst.

Eine **Bratpfanne** sollte fest auf der Kochplatte aufliegen und so beschichtet sein, daß man mit wenig Fett arbeiten kann, ohne daß die Kartoffeln gleich ankleben. Das Fett sollte möglichst heiß sein,

damit die Kartoffeln schnell fertig sind und nicht lange im Öl schwimmen und sich vollsaugen. Das gilt natürlich vor allem beim **Fritieren**. Wer Pommes frites nicht nur einmal im Jahr genießen will, für den lohnt sich der Kauf einer **Friteuse**. Sie garantiert, daß die Fettemperatur gleichmäßig und hoch bleibt. Dadurch werden die Kartoffelstäbchen so schnell wie möglich fritiert. Außerdem: je schneller die Pommes wieder aus dem Fett gefischt werden, desto weniger Fett saugen sie auf, und desto weniger Fett müssen Sie konsumieren.

Nützliche und notwendige Helfer

Zum perfekten Fritieren gehören noch einige andere Werkzeuge. Zum Beispiel ein **Pommes-frites-Schneider**, mit dem Sie die Kartoffeln mühelos in eine appetitliche Form bringen. Übrigens müssen es nicht immer Stäbchen sein: Sie können Kartoffeln auch in phantasievollen Formen zuschneiden. Etwa in Spiralen, wobei Sie nur einen **Rettichschneider** zweckentfremden müssen. Auch mit einem **Kugelausstecher**, einem **Aushöhler** oder mit einem normalen, scharfen **Gemüsemesser** können Sie beliebig neue Formen kreieren.

Wie Ihre fritierten Kartoffeln auch aussehen mögen, sie müssen letztlich aus dem Öl gefischt werden. Dazu brauchen Sie entweder ein **Körbchen**, das als Einsatz in Ihre Friteuse paßt, ein **Sieb** oder eine **Fritierkelle**. Diese Geräte sollten handlich und zweckvoll sein. Denn in der Nähe von siedend heißem Öl sollte man nicht mit ungeeignetem Werkzeug improvisieren.

So einfach wie beliebt sind Pellkartoffeln vom Grill, nur mit Salz, Butter oder Dips serviert. Man kann die Kartoffeln in Alufolie einwickeln und auf den Grill oder direkt in die Holzkohle legen. Es gibt aber auch **Drahtkörbe**, ähnlich den Fischkörben, in die man eine Kartoffel einklemmt und grillt.

Weitere nützliche Geräte in der Kartoffelküche sind diverse **Reiben** und **Scheibenschneider**, bei der Zubereitung von Kartoffelpuffern, Bratkartoffeln oder Gratins fast unentbehrlich.

Nicht zu vergessen einen **Kartoffelstampfer** oder eine **Kartoffelpresse**.

Eine **dreizackige Gabel**, mit der Sie Pellkartoffeln aufspießen und ohne Verbrennungsgefahr schälen können, sollte in keinem Haushalt fehlen.

Ein einfaches aber sehr wichtiges Gerät ist und bleibt der **Kartoffelschäler**. Gerade er sollte von bester Qualität sein, vor allem aber scharf.

Suppen und Eintöpfe

FÜR 4 PERSONEN:
1 Zwiebel
1 Knoblauchzehe
1 Prise Salz
2–3 EL Butter oder Margarine
300 g Kartoffeln
200 g Blumenkohlröschen
1 Schuß Weißwein
1/2 l Gemüsebrühe
1 Becher Sahnedickmilch
Salz
Pfeffer aus der Mühle
1 Prise Muskat
1 Prise Cayennepfeffer
1 Tasse Sahne
2 Eigelb
2–3 EL Weizensprossenkeimlinge
1/2 Bund Petersilie

Blumenkohlsuppe mit Weizensprossen

1. Die Zwiebel schälen und fein hacken. Die Knoblauchzehe mit Salz zu einer Paste zerreiben.

2. Die Butter oder Margarine in einem Topf erhitzen und die Zwiebel und Knoblauchpaste darin glasig schwitzen.

3. Die geschälten und in Würfel geschnittenen Kartoffeln ins Fett geben und kurz mitschwitzen.

4. Die verlesenen, gewaschenen und kleingeschnittenen Blumenkohlröschen zu den Kartoffeln geben und kurz mitschwitzen.

5. Mit dem Weißwein ablöschen und mit der Gemüsebrühe auffüllen.

6. Die Suppe bei mäßiger Hitze 20–25 Minuten köcheln lassen.

7. Nach Ende der Garzeit die Suppe mit Salz, Pfeffer, Cayennepfeffer und Muskat kräftig abschmecken.

8. Die Sahne mit den Eigelben verschlagen und die Suppe damit legieren. Vom Feuer nehmen und nicht mehr kochen lassen.

9. Die Weizensprossenkeimlinge verlesen, waschen und mit der gehackten Petersilie unter die Suppe ziehen.

10. Die Blumenkohlsuppe anrichten, ausgarnieren und sofort servieren.

FÜR 4 PERSONEN:
1 Zwiebel
2 Knoblauchzehen
1 TL Salz
1–2 EL Butter oder Margarine
500 g mehlig kochende Kartoffeln
2 Karotten
1 Stange Lauch
1 Schuß Weißwein
3/4 l Gemüsebrühe
200 g Kräuterschmelzkäse
Salz
Pfeffer aus der Mühle
1 TL Majoran
1 Prise Muskat
1 Prise Cayennepfeffer
4 Scheiben Baguette
1 Tasse gemischte, gehackte Kräuter

Allgäuer Kartoffelsuppe

1. Die Zwiebel schälen und fein hacken. Die Knoblauchzehen schälen und mit Salz zu einer Paste zerreiben.

2. Die Butter oder Margarine in einem Topf erhitzen, Zwiebeln und Knoblauchpaste darin glasig schwitzen.

3. Die geschälten und in Würfel geschnittenen Kartoffeln mit den geschälten und in Würfel geschnittenen Karotten ins Fett geben und kurz mitschwitzen.

4. Den Lauch putzen, in feine Scheiben oder Stücke schneiden, in den Topf geben und ebenfalls kurz mitschwitzen.

5. Mit Weißwein ablöschen und mit der Gemüsebrühe auffüllen.

6. Die Suppe bei mäßiger Hitze 20–25 Minuten köcheln lassen.

7. Den Schmelzkäse unter die Suppe rühren. Mit Salz, Pfeffer, Majoran, Cayennepfeffer und Muskat kräftig abschmecken.

8. Die Baguettescheiben in Würfel schneiden und in einer trockenen Pfanne kurz rösten.

9. Die Allgäuer Kartoffelsuppe anrichten. Mit den Brotwürfeln und den gehackten Kräutern bestreuen, ausgarnieren und sofort servieren.

FÜR 4 PERSONEN:
250 g rote Linsen
3/4 l Fleisch-oder Gemüsebrühe
75 g durchwachsenen geräucherten Speck
1–2 EL Butter oder Margarine
250 g mehlig kochende Kartoffeln
2-3 Frühlingszwiebeln
1 gelbe Paprikaschote
1 roten Apfel
150 g Frischkäse mit feinen Kräutern der Provence
Salz
Pfeffer aus der Mühle
1 Prise Paprikapulver
1 Prise Cayennepfeffer
1 Bund Schnittlauch
4 Scheiben Stangenweißbrot

Bunter Linsentopf

1. Die Linsen waschen, gut abtropfen lassen, in eine Schüssel geben. Mit der Fleisch- oder Gemüsebrühe angießen und über Nacht quellen lassen.

2. Für die Zubereitung den in feine Würfel geschnittenen Speck mit der Butter oder Margarine in einen Topf geben und auslassen.

3. Die Kartoffeln schälen, in Würfel schneiden, zum Speck geben und kurz mitschwitzen.

4. Die Frühlingszwiebeln putzen, die Paprikaschote ebenfalls putzen, beides kleinschneiden. Zu den Kartoffeln geben und kurz mitschwitzen.

5. Den Apfel schälen, entkernen, in Würfel schneiden, zum Gemüse geben und das Ganze mit der Linsenbrühe auffüllen.

6. Den Linseneintopf bei mäßiger Hitze 20–25 Minuten köcheln lassen.

7. Kurz vor Garende den Frischkäse in den Linsentopf einrühren. Das Ganze mit Salz, Pfeffer, Paprika und Cayennepfeffer kräftig würzen.

8. Den Linsentopf anrichten, mit frisch geschnittenem Schnittlauch bestreuen und mit Stangenweißbrot servieren.

FÜR 4 PERSONEN:
1–2 EL Butter oder Margarine
1 Zwiebel
100 g Buchweizen
2 Karotten
500 g Kartoffeln
1 Stück Stangensellerie
1 1/2 l Gemüsebrühe
200 g Erbsen (TK-Produkt)
Salz
Pfeffer aus der Mühle
1 Prise Zucker
1 EL Kräuter der Provence
Saft von 1 Zitrone
2–3 EL Tomatenmark
1 Becher Sahnedickmilch
1 Tasse gemischte, gehackte Kräuter

Buchweizen–Kartoffel–Topf

1. Die Butter oder Margarine in einem Topf erhitzen und die geschälte und feingehackte Zwiebel darin glasig schwitzen.

2. Den Buchweizen unter fließendem Wasser waschen, gut abtropfen lassen, zur Zwiebel geben und kurz mitschwitzen.

3. Die Karotten und die Kartoffeln schälen, in Würfel schneiden, mit dem geputzten und kleingeschnittenen Staudensellerie zum Buchweizen geben und ebenfalls kurz mitschwitzen.

4. Mit der Gemüsebrühe auffüllen und das Ganze bei mäßiger Hitze 50–60 Minuten köcheln lassen.

5. Die Erbsen unterheben, das Ganze mit Salz, Pfeffer, Zucker und Kräutern der Provence abschmecken, mit Zitronensaft und Tomatenmark verfeinern.

6. Die Sahnedickmilch in den Eintopf einrühren, das Ganze nochmals erhitzen, abschmecken, anrichten, ausgarnieren und mit Kräutern bestreut servieren.

FÜR 4 PERSONEN:
2–3 El Butter oder Margarine
1 Zwiebel
2 Karotten
1 Stück Lauch
600 g mehlig kochende Kartoffeln
1 l Fleisch- oder Gemüsebrühe
Salz
Pfeffer aus der Mühel
1 Prise Cayennepfeffer
1 Prise Muskat
1 TL Majoran
1 Becher Sahnedickmilch
2 Eigelb
4 geräucherte Forellenfilets
einige Majoranblättchen zum Garnieren

Kartoffelsuppe mit Räucherforellen

1. Die Butter oder Margarine in einem Topf erhitzen und die geschälte und feingehackte Zwiebel darin glasig schwitzen.

2. Die Karotten schälen, in Würfel schneiden. Den Lauch putzen und ebenfalls würfeln.

3. Die Kartoffeln schälen, in Würfel schneiden, mit dem restlichen Gemüse zu den Zwiebeln geben und kurz mitschwitzen.

4. Mit der Fleisch- oder Gemüsebrühe auffüllen und bei mäßiger Hitze 15–20 Minuten köcheln lassen.

5. Die Kartoffelsuppe mit Salz, Pfeffer, Cayennepfeffer, Muskat und Majoran kräftig würzen.

6. Die Suppe im Mixer oder mit dem Pürierstab pürieren und erneut erhitzen.

7. Die Sahnedickmilch mit den Eigelben zerschlagen und die Suppe damit legieren. Vom Feuer nehmen und nicht mehr kochen lassen.

8. Die enthäuteten Forellenfilets in Streifen schneiden, in die Suppe geben, anrichten. Mit Majoranblättchen ausgarnieren und sofort servieren.

FÜR 4 PERSONEN:
100 g durchwachsenen geräucherten Speck
1–2 EL Butter oder Margarine
1 kg gekochte Kartoffeln
1/8 l Gemüsebrühe
3/4 l Buttermilch
Salz
Pfeffer aus der Mühle
1 Prise Cayennepfeffer
1 Prise Muskat
1 Bund Petersilie
4 Scheiben Schwarzbrot
2–3 EL Butter oder Margarine

Buttermilch–Kartoffelsuppe Dörfliche Art

1. Den in feine Würfel geschnittenen Speck mit der Butter oder Margarine in einen Topf geben und den Speck auslassen.

2. Die Kartoffeln in Würfel schneiden und kurz anbraten.

3. Das Ganze mit der Gemüsebrühe ablöschen und mit der Buttermilch auffüllen.

4. Die Suppe zum Kochen bringen. Mit Salz, Pfeffer, Cayennepfeffer und Muskat kräftig abschmecken.

5. Je nach Geschmack mit etwas Speisestärke oder Johannisbrotkernmehl leicht binden.

6. Das Schwarzbrot würfeln, und im erhitzten Fett kurz rösten.

7. Die Kartoffelsuppe anrichten, mit frisch geschnittener Petersilie bestreuen, ausgarnieren und sofort servieren.

Kartoffel-Porree–Suppe

FÜR 4 PERSONEN:
1 Zwiebel
2–3 EL Butter oder Margarine
500 g Kartoffeln
1 TL Currypulver
2 Stangen Lauch oder Porree
3/8 l Hühnerbrühe
400 g Frischkäse
Salz
Pfeffer aus der Mühle
1 Prise Muskat
1 Bund Petersilie
4 Scheiben Toastbrot
150 g Kräuterfrischkäse

1. Die Zwiebel schälen und fein hacken, mit der Butter oder Margarine in einen Topf geben und glasig schwitzen.

2. Die Kartoffeln schälen, in feine Würfel schneiden, zu den Zwiebeln geben und kurz mitschwitzen.

3. Mit Currypulver bestauben und den geputzten und in feine Würfel oder Streifen geschnittenen Porree dazugeben.

4. Das Gemüse kurz dünsten und mit der Hühnerbrühe auffüllen.

5. Die Suppe bei mäßiger Hitze 20–25 Minuten köcheln lassen.

6. Den Frischkäse unter die Suppe rühren, mit Salz, Pfeffer und Muskat kräftig würzen und die gehackte Petersilie dazugeben.

7. Die Toastbrotscheiben toasten, mit Kräuterfrischkäse bestreichen und in Ecken schneiden.

8. Die Kartoffel-Porree-Suppe nochmals abschmecken, anrichten. Mit den Toastbrotscheiben belegen, ausgarnieren und sofort servieren.

Cremiges Grünkernsüppchen

FÜR 4 PERSONEN:
50 g Grünkern
1/4 l Gemüsebrühe
1–2 EL Butter oder Margarine
1 Zwiebel
250 g Kartoffeln
250 frischen Spinat
1/4 l Milch
1 Becher Sahnedickmilch
Salz
Pfeffer aus der Mühle
1 Prise Ingwerpulver
1 Prise Cayennepfeffer
1 Prise Zucker

AUSSERDEM
4 Scheiben Toastbrot
2–3 EL Butter oder Margarine
2 Knoblauchzehen

1. Den Grünkern waschen, gut abtropfen lassen, in eine Schüssel geben, mit Gemüsebrühe angießen und über Nacht quellen lassen.

2. Die Butter oder Margarine in einem Topf erhitzen und die geschälte und feingehackte Zwiebel darin glasig schwitzen.

3. Die geschälten und gewürfelten Kartoffeln mit dem gut abgetropften Grünkern dazugeben und kurz mitschwitzen.

4. Das Einweichwasser mit dem Weißwein angießen und das Ganze bei mäßiger Hitze 20–30 Minuten köcheln lassen.

5. Den verlesenen, gewaschenen und kleingeschnittenen Spinat in die Suppe geben und einmal aufkochen lassen.

6. Das Ganze im Mixer oder mit dem Pürierstab pürieren, die Milch und die Dickmilch angießen und mit Salz, Pfeffer, Ingwerpulver, Cayennepfeffer und Zucker kräftig abschmecken.

7. Das Toastbrot in Würfel schneiden, das Fett in einer Pfanne erhitzen und den geschälten und feingehackten Knoblauch darin anschwitzen.

8. Die Toastbrotwürfel im Knoblauchfett goldgelb rösten.

9. Die Grünkernsuppe nochmals abschmecken, anrichten, mit den Knoblauchwürfeln bestreuen, ausgarnieren und servieren.

FÜR 4 PERSONEN:
500 g Kabeljaufilet
je einige Tropfen Zitronensaft und Worcestersauce
Salz
Pfeffer aus der Mühle
1 Zwiebel
2 Karotten
1 Stück Sellerie
400 g Kartoffeln
1–2 EL Butter oder Margarine
1 Glas Weißwein
1 Zweig Dill
1 Lorbeerblatt
1/2 l Fischbrühe
1 Becher Sahne
1 EL Currypulver
1 Prise Zucker
1 Prise Cayennepfeffer
1/2 Bund Dill

Kartoffel-Fisch-Suppe

1. Das Filet waschen, trockentupfen, mit Zitronensaft und Worcestersauce beträufeln, würfeln, mit Salz und Pfeffer würzen und 10 Minuten ziehen lassen.

2. Die Zwiebel schälen, hacken, die Karotten und den Sellerie putzen und fein würfeln.

3. Die Kartoffeln schälen und ebenfalls fein würfeln.

4. Die Butter oder Margarine in einem Topf erhitzen und das Gemüse darin glasig schwitzen.

5. Mit Wein ablöschen, den Dillzweig und das Lorbeerblatt dazugeben, mit der Brühe auffüllen und bei mäßiger Hitze 15–20 Minuten köcheln lassen.

6. Das Lorbeerblatt und den Dillzweig aus der Suppe nehmen und das Ganze pürieren.

7. Die Sahne einrühren, mit Curry, Zucker, Cayennepfeffer, Salz, Pfeffer und Zitronensaft abschmecken, zum Kochen bringen und die Fischwürfel in die heiße Suppe geben.

8. Die Fischwürfel in 6–8 Minuten garziehen lassen, die Suppe nochmals abschmecken, anrichten und mit dem feingehackten Dill bestreuen.

FÜR 4 PERSONEN:
2–3 EL Butter oder Margarine
1 Zwiebel
250 g Kartoffeln
250 g Blumenkohlröschen
1 Schuß Weißwein
3/4 l Hühnerbrühe
1 Stange Lauch
1 Becher Sahnedickmilch
Salz
Pfeffer aus der Mühle
1 Prise Cayennepfeffer
1 Prise Muskat
3–4 EL gehackte Haselnüsse

Cremige Gemüsekaltschale

1. Die Butter oder Margarine in einem Topf erhitzen und die geschälte und feingehackte Zwiebel darin glasig schwitzen.

2. Die Kartoffeln schälen, in feine Würfel schneiden, mit den geputzten und kleingeschnittenen Blumenkohlröschen zu den Zwiebeln geben und kurz mitschwitzen.

3. Mit Weißwein ablöschen und mit der Hühnerbrühe auffüllen.

4. Das Ganze bei mäßiger Hitze 15–20 Minuten köcheln lassen.

5. Den Lauch putzen, in feine Streifen schneiden, 5 Minuten vor Garende in die Suppe geben und mitgaren.

6. Die Sahnedickmilch in die Suppe einrühren und das Ganze mit Salz, Pfeffer, Cayennepfeffer und Muskat kräftig würzen.

7. Die Suppe vom Feuer nehmen, vollständig erkalten lassen und nochmals nachwürzen.

8. Die Cremige Gemüsekaltschale anrichten, mit den gehackten Haselnüssen bestreuen, ausgarnieren und sofort servieren.

FÜR 4 PERSONEN:
1-2 EL Butter oder Margarine
1 Zwiebel
500 g Kartoffeln
1 Bund Suppengrün
1 Schuß Weißwein
1 l Gemüse- oder Fleischbrühe
1 Lorbeerblatt
125 g Sahnefrischkäse
Salz
Pfeffer aus der Mühle
1 Prise Muskat
100 g durchwachsenen geräuchrten Speck
1 Bund Petersilie

Feine Kartoffelsuppe

1. Das Fett in einem Topf erhitzen und die geschälte und feingehackte Zwiebel darin glasig schwitzen.

2. Die Kartoffeln schälen, in feine Würfel schneiden, zu den Zwiebeln geben und kurz mitschwitzen.

3. Das Suppengrün putzen, kleinschneiden. Die Hälfte zu den Kartoffeln geben und ebenfalls kurz mitschwitzen. Die andere Hälfte in Rauten schneiden, kurz blanchieren und bereitstellen.

4. Mit Weißwein ablöschen und mit der Gemüse- oder Fleischbrühe auffüllen.

5. Das Lorbeerblatt dazugeben und das Ganze bei mäßiger Hitze 20–25 Minuten köcheln lassen.

6. Das Lorbeerblatt aus der Suppe entfernen und das Ganze im Mixer oder mit dem Pürierstab pürieren.

7. Die Suppe nochmals erhitzen und den Sahnefrischkäse einrühren.

8. Die Suppe mit Salz, Pfeffer und Muskat kräftig würzen.

9. Den in feine Würfel geschnittenen Speck in einer Pfanne rösten. Die Suppe anrichten, mit Speck, dem bereitgestellten Suppengrün und der verlesenen, gewaschenen und feingehackten Petersilie bestreuen. Ausgarnieren und sofort servieren.

FÜR 4 PERSONEN:
2 EL Butter/Margarine
1 Zwiebel
500 g Kartoffeln
1 Glas Weißwein
100 g frische junge Brennesselblätter
1/2 l Gemüsebrühe
Salz
Pfeffer aus der Mühle
1 Prise Zucker
1 Prise Cayennepfeffer
1 Prise Muskat
einige Tropfen Zitronensaft
1 Becher Sahne
3 Eigelb
1/2 Bund Petersilie

Brennessel-Süppchen

1. Die Butter oder Margarine in einer Pfanne erhitzen und die geschälte und feingehackte Zwiebel darin glasig schwitzen.

2. Die geschälten und in feine Würfel geschnittenen Kartoffeln dazugeben und kurz mitschwitzen.

3. Mit Weißwein ablöschen und 6–8 Minuten dünsten lassen.

4. Die verlesenen, grob geschnittenen Brennesselblätter dazugeben und mit der Gemüsebrühe auffüllen und zum Kochen bringen.

5. Das Ganze mit Salz, Pfeffer, Zucker, Cayennepfeffer, Muskat und Zitronensaft kräftig abschmecken und weitere 15–20 Minuten köcheln lassen.

6. Die Suppe anschließend im Mixer oder mit dem Pürierstab pürieren und erneut erhitzen, nochmals abrunden.

7. Die Sahne mit den Eigelben verschlagen und die Suppe damit legieren. Vom Feuer nehmen und nicht mehr kochen lassen.

8. Die Suppe nochmals kräftig abrunden, anrichten und mit der verlesenen, gewaschenen und feingehackten Petersilie bestreut servieren.

FÜR 4 PERSONEN:
1-2 EL Butter oder Margarine
1 Zwiebel
500 g kleine Kartoffeln
1 mittelgroßen Zucchino
2 Karotten
1 l Fleisch- oder Gemüsebrühe
Salz
Pfeffer aus der Mühle
1 Prise Cayennepfeffer
1 Prise Muskat
1/2 Bund Basilikum
1 Tasse Sahne
4 Eigelb

Klare Kartoffelsuppe

1. Die Butter oder Margarine in einem Topf erhitzen und die geschälte und feingehackte Zwiebel darin glasig schwitzen.

2. Die Kartoffeln schälen, je nach Größe kleinschneiden, zu den Zwiebeln geben und kurz mitschwitzen.

3. Den Zucchino putzen und kleinschneiden. Die Karotten schälen und ebenfalls kleinschneiden.

4. Zucchino und Karotten zu den Kartoffeln geben und kurz mitschwitzen.

5. Mit Fleisch- oder Gemüsebrühe auffüllen. Mit Salz, Pfeffer, Cayennepfeffer und Muskat kräftig abschmecken.

6. Die Suppe bei mäßiger Hitze 20–25 Minuten köcheln lassen.

7. Nach Ende der Garzeit die Suppe erneut abschmecken und das verlesene, gewaschene und feingehackte Basilikum unterziehen.

8. Die Sahne mit den Eigelben verschlagen und die Suppe damit legieren. Vom Feuer nehmen und nicht mehr kochen lassen.

9. Die Kartoffelsuppe anrichten, ausgarnieren und sofort servieren.

FÜR 4 PERSONEN:
500 g Markknochen
1 Lorbeerblatt
einige Pfefferkörner
600 g Rindfleisch
2 l Gemüsebrühe
750 g Kartoffeln
2–3 Karotten
2 Stangen Lauch
1 Petersilienwurzel
1 kleinen Staudensellerie
Salz
Pfeffer
Muskat
1 EL Majoran
100 g durchwachsenen Speck
2 Zwiebeln
1 Bund Petersilie

Berliner Kartoffelsuppe

1. Die Suppenknochen unter fließendem Wasser waschen, trockentupfen und in einen Topf legen.

2. Die Gewürze und das gewaschene Rindfleisch dazugeben, mit der Gemüsebrühe auffüllen, zum Kochen bringen und etwa 60–70 Minuten köcheln lassen.

3. In der Zwischenzeit mehrmals abschäumen. Die Kartoffeln schälen und in 2–3 cm große Würfel schneiden.

4. Die Karotten, den Lauch, die Petersilienwurzel und den Staudensellerie putzen und ebenfalls in Stücke schneiden.

5. Nach Ende der Garzeit das Gemüse zum Fleisch geben und weitere 25–30 Minuten köcheln lassen.

6. Die Suppe mit Salz, Pfeffer, Muskat und Majoran kräftig abschmecken.

7. Den in feine Würfel geschnittenen Speck in eine Pfanne geben und auslassen. Die geschälten und feingehackten Zwiebeln zum Speck geben und kurz mitbraten.

8. Die verlesene, gewaschene und feingehackte Petersilie unter die Speckzwiebeln mischen.

9. Die Berliner Kartoffelsuppe anrichten, mit den Speckzwiebeln bestreuen, ausgarnieren und servieren.

FÜR 4 PERSONEN
600 g Fischfilet (Kabeljau, Lengfisch oder Goldbarsch)
Saft von 1 Zitrone
einige Tropfen Worcestersauce
Salz
Pfeffer aus der Mühle
2 Beutel getrocknete oder 250 g frische Steinpilze
500 g Kartoffeln
1 Zwiebel
2–3 EL Butter oder Margarine
3/4 l Fischbrühe
1 Zweig Thymian
1 Zweig Borretsch
1 Lorbeerblatt
1 Prise Cayennepfeffer

Fischsuppe mit Steinpilzen

1. Das Fischfilet waschen, trockentupfen, in mundgerechte Stücke schneiden, mit Zitronensaft und Worcestersauce beträufeln, mit Salz und Pfeffer würzen und im Kühlschrank 10–15 Minuten ziehen lassen.

2. Je nach Bedarf die getrockneten Steinpilze einweichen oder die frischen Steinpilze putzen und in mundgerechte Stücke schneiden.

3. Die Kartoffeln schälen und in feine Würfel oder Scheiben schneiden.

4. Die Zwiebel schälen und fein hacken.

5. Die Butter oder Margarine erhitzen, die Zwiebel und die Kartoffeln anschwitzen und 4–5 Minuten dünsten.

6. Die Fischbrühe angießen und das Ganze zum Kochen bringen. Den Thymian, den Borretsch und das Lorbeerblatt dazugeben.

7. Das Ganze mit Salz, Pfeffer, Zitronensaft und Worcestersauce sowie Cayennepfeffer kräftig abschmecken und weitere 10–15 Minuten köcheln lassen.

8. Die Steinpilze mit dem Fischfilet unter die Suppe heben und das Ganze weitere 8–10 Minuten garen.

9. Nach Ende der Garzeit die Fischsuppe nochmals kräftig abschmecken, anrichten, ausgarnieren und servieren.

FÜR 4 PERSONEN:
750 g Kartoffeln
4 Karotten
2 Zwiebeln
1 kleine Stange Lauch
2-3 EL Butter oder Margarine
1 l Gemüse- oder Fleischbrühe
2 Lorbeerblätter
einige Nelken
Salz
Pfeffer aus der Mühle
1 Prise Cayennepfeffer
4 Portionen gekochte gepökelte Rinderbrust
4 Portionen Frankfurter Soße

Boullionkartoffeln mit Rindfleisch

1. Die Kartoffeln schälen und in Würfel schneiden.

2. Die Karotten ebenfalls schälen und würfeln.

3. Die Zwiebeln schälen, in feine Würfel schneiden. Den Lauch putzen und ebenfalls fein würfeln.

4. Die Butter oder Margarine in einem Topf erhitzen und das Gemüse darin glasig schwitzen.

5. Mit der Gemüse- oder Fleischbrühe auffüllen und zum Kochen bringen.

6. Die Lorbeerblätter und die Nelken dazugeben und das Ganze mit Salz, Pfeffer und Cayennepfeffer abschmecken.

7. Die Kartoffeln und das Gemüse bißfest garen. Nochmals kräftig abschmecken. Mit der erhitzten Rinderbrust dekorativ anrichten.

8. Die Frankfurter Soße dazugeben. Das Ganze ausgarnieren und sofort servieren.

FÜR 4 PERSONEN:
1 Stange Lauch
1 Stück Sellerie
2 Karotten
100 g Rosenkohl- und Blumenkohlröschen
je 100 g grüne Bohnen und Erbsen (TK-Produkt)
2 EL Butter/Margarine
1 Zwiebel
500 g Kartoffeln
1 1/2 l Gemüsebrühe
Salz
Pfeffer aus der Mühle
1 Prise Muskatpulver
200 g bißfest gegarte Tortellini
1 Becher Sahnedickmilch
1/2 Tasse gemischte, gehackte Kräuter

Kartoffeleintopf mit Tortellini

1. Den Lauch schneiden und den Sellerie würfeln. Die Karotten schälen und in dünne Scheiben schneiden.

2. Die Rosenkohl- und Blumenkohlröschen putzen und bereitstellen.

3. Die Bohnen und Erbsen auftauen lassen.

4. Die Butter oder Margarine in einem Topf erhitzen und die geschälte und feingehackte Zwiebel darin glasig schwitzen.

5. Die gewürfelten Kartoffeln zu den Zwiebeln geben und kurz mitschwitzen.

6. Die Gemüsebrühe dazugeben und zum Kochen bringen. Den Lauch, den Sellerie, die Karotten und die Rosen– und Blumenkohlröschen dazugeben und bei mäßiger Hitze 15–20 Minuten köcheln lassen.

7. Kurz vor Garende die Bohnen und Erbsen dazugeben, mit Salz, Pfeffer und Muskat kräftig abschmecken.

8. Nach Ende der Garzeit die Tortellini mit der Sahnedickmilch unter den Eintopf heben, abschmecken, erhitzen, anrichten und mit gehackten Kräutern bestreut servieren.

FÜR 4 PERSONEN:
600 g Rindfleisch
2 Zwiebeln
2-3 EL Butterschmalz
1/2 l Gemüsebrühe
500 g grüne Bohnen
250 g Kartoffeln
100 g durchwachsenen geräucherten Speck
Salz
Pfeffer aus der Mühle
1 EL Majoran
1 Prise Zucker
2–3 EL Weinessig
2 säuerliche Äpfel
Saft von 1 Zitrone
1 Bund Petersilie

Bohnensuppe mit Äpfeln

1. Das Rindfleisch waschen, trockentupfen und in mundgerechte Würfel schneiden.

2. Die Zwiebeln schälen und fein hacken. Das Butterschmalz in einem Topf erhitzen.

3. Das Fleisch ins heiße Fett geben und rundherum Farbe nehmen lassen. Die Zwiebeln dazugeben und kurz mitbraten.

4. Mit der Gemüsebrühe auffüllen und das Fleisch bei mäßiger Hitze 50–60 Minuten garen.

5. In der Zwischenzeit die Bohnen putzen, je nach Bedarf kleinschneiden. Die Kartoffeln schälen und würfeln. Den Speck in feine Würfel schneiden.

6. Die Bohnen, die Kartoffeln und den Speck in den Eintopf geben, mit Salz, Pfeffer und Majoran abrunden und weitere 20–25 Minuten garen.

7. 5 Minuten vor Garende den Eintopf mit Zucker und Weinessig süßsauer abschmecken.

8. Die geschälten, entkernten, in Schnitze geschnittenen und mit Zitronensaft beträufelten Äpfel dazugeben.

9. Den Eintopf fertiggaren, nochmals abschmecken, anrichten, ausgarnieren und mit gehackter Petersilie bestreut servieren.

FÜR 4 PERSONEN:
750 g Kartoffeln
2–3 EL Butter oder Margarine
1 Zwiebel
1 Karotte
1 Stange Lauch
200 g Rauchfleisch
2 Paar Wiener Würstchen
1 l Gemüsebrühe
Salz
Pfeffer aus der Mühle
1 Prise Muskat
1 Prise Cayennepfeffer
1/2 Becher Sahne
1 Bund Petersilie

Frankfurter Kartoffelsuppe

1. Die Kartoffeln schälen, waschen und würfeln.

2. Das Fett in einem Topf erhitzen und die Kartoffeln darin anschwitzen.

3. Die Zwiebel, die Karotte und den Lauch putzen, ebenfalls würfeln, zu den Kartoffeln geben und kurz mitschwitzen.

4. Das Rauchfleisch in feine Würfel schneiden, zum Gemüse geben und bei mäßiger Hitze 8–10 Minuten dünsten lassen.

5. Die Wiener Würstchen in Scheiben schneiden, zum Gemüse geben und das Ganze mit der Gemüsebrühe auffüllen.

6. Die Suppe zum Kochen bringen, mit Salz, Pfeffer, Muskat und Cayennepfeffer abschmecken und weitere 8–10 Minuten köcheln lassen.

7. Die Kartoffelsuppe mit der Sahne verfeinern, nochmals abschmecken, anrichten und mit der verlesenen, gewaschenen und feingehackten Petersilie bestreuen.

8. Die Frankfurter Kartoffelsuppe kann sehr schnell mit tiefgefrorenem Suppengrün und einem fertigen Kartoffeleintopf mit Würstchen zubereitet werden.

FÜR 4 PERSONEN:
1–2 EL Butter oder Margarine
125 g durchwachsenen geräucherten Speck
2 Zwiebeln
2 Knoblauchzehen,
Salz
1 Stange Lauch
1 kg Kartoffeln
1 1/2–2 l Gemüsebrühe
150 g frische Champignons
Saft von 1 Zitrone
Salz
Pfeffer aus der Mühle
1 Prise Muskat
1 Prise Cayennepfeffer
1/2 TL Kümmelpulver
1 Bund Petersilie
2 Eigelb
1/4 l saure Sahne

Kartoffelsuppe mit Champignons

1. Das Fett in einem Topf erhitzen und den in feine Würfel geschnittenen Speck darin auslassen.

2. Die Zwiebeln schälen und fein würfeln, die Knoblauchzehen schälen, mit Salz zu einer Paste zerreiben, beides zum Speck geben und kurz mitbraten.

3. Den Lauch putzen, in Scheiben oder Würfel schneiden, mit den geschälten und in Würfel oder in Scheiben geschnittenen Kartoffeln zum Speck geben und kurz anschwitzen.

4. Die Gemüsebrühe angießen und das Ganze zum Kochen bringen.

5. Die verlesenen, gewaschenen und in Scheiben geschnittenen Champignons mit Zitronensaft beträufeln und in die Suppe geben.

6. Die Suppe mit Salz, Pfeffer, Muskat, Cayennepfeffer und dem Kümmel abschmecken und bei mäßiger Hitze 20–25 Minuten köcheln lassen.

7. Die verlesene, gewaschene und feingehackte Petersilie untermischen. Die Eigelbe mit der sauren Sahne verrühren und die Suppe damit legieren.

8. Die Suppe vom Feuer nehmen und nicht mehr kochen lassen. Nochmals abrunden, anrichten, ausgarnieren und servieren.

FÜR 4 PERSONEN
75 g geräucherten Speck
600 g Schweinebauch
2 EL Olivenöl
1 Glas Altbier
2 Zwiebeln
4 Kartoffeln
500 g Steckrüben
1 Lorbeerblatt
1 Zweig Thymian
Salz
schwarzen Pfeffer aus der Mühle
1 Prise Zucker
1 Prise Pimentpulver
1 Prise Cayennepfeffer
1/2 l Gemüse- oder Fleischbrühe
4 rohe Bratwürste
2–3 EL geschnittenen Schnittlauch

Westfälischer Steckrübentopf

1. Den Speck und den Schweinebauch in feine Würfel schneiden, ,mit dem Olivenöl in einen Topf geben und 8–10 Minuten braten.

2. Mit Altbier ablöschen. Die geschälte und in feine Würfel geschnittene Zwiebel dazugeben.

3. Die Kartoffeln schälen, in feine Würfel schneiden und waschen.

4. Die Steckrüben schälen und ebenfalls fein würfeln. Das Gemüse zum Fleisch geben und kurz mitschwitzen.

5. Das Lorbeerblatt und den Thymianzweig dazugeben, mit Salz, Pfeffer, Zucker, Pimentpulver und Cayennepfeffer kräftig würzen.

6. Die Gemüse- oder Fleischbrühe angießen und 45–50 Minuten köcheln lassen.

7. Die Bratwürste aus dem Darm drücken, zu Klößchen formen und in die Suppe geben. Weitere 10–15 Minuten garziehen lassen.

8. Nach Ende der Garzeit den Eintopf nochmals kräftig abschmecken, anrichten und mit Schnittlauch bestreut servieren.

FÜR 4 PERSONEN:
750 g gepökeltes Rindfleisch
4 Zwiebeln
1 Lorbeerblatt
einige Wacholderbeeren
einige Pfefferkörner
3/4 l Gemüsebrühe
1 kg Kartoffeln
Salzwasser
1/4 l heiße Milch
Salz
Pfeffer aus der Mühle
4 sauer eingelegte Heringe oder Rollmöpse
200 g Rote-Bete-Salat
4 Gewürzgurken
4 Eier
1–2 EL Butter / Margarine

Labskaus „Bremer Art"

1. Das Rindfleisch waschen, trockentupfen und würfeln.

2. Die Zwiebeln schälen, vierteln, mit den Gewürzen und dem Fleisch in einen Topf geben.

3. Die heiße Brühe angießen und bei mäßiger Hitze 60–70 Minuten köcheln lassen.

4. Die Kartoffeln schälen, waschen, mit Salzwasser aufgießen und 20 Minuten garen.

5. Das Fleisch aus der Brühe nehmen und auskühlen lassen. Die Brühe passieren.

6. Die Kartoffeln abgießen, durch die Kartoffelpresse in eine Schüssel treiben und mit der Milch und der Brühe zu einem nicht zu steifen Kartoffelpüree verrühren.

7. Das Püree mit Salz und Pfeffer abrunden und das durch die grobe Scheibe des Fleischwolfs gedrehte Fleisch unter die Kartoffeln mischen.

8. Das Labskaus nochmals abrunden und in eine vorgewärmte Schüssel geben.

9. Die abgetropften Heringe oder Rollmöpse mit den Roten Beten und den Gewürzgurken auf einer Platte anrichten und getrennt servieren.

10. Die Eier in einer Pfanne mit etwas Butter oder Margarine zu Spiegeleiern braten. Jede Portion Labskaus mit einem Spiegelei belegen, salzen, pfeffern und sofort servieren.

FÜR 4 PERSONEN:
500 g Rotbarschfilet
Saft von 1 Zitrone
einige Tropfen Worcestersauce
Salz
Pfeffer aus der Mühle
1 Zwiebel
2 Knoblauchzehen
1 TL Salz
2–3 EL Butter oder Margarine
2 grüne Paprikaschoten
400 g Kartoffeln
1 Glas Weißwein
3/4 l Fischbrühe
1 EL Paprikapulver edelsüß
je 1 Prise Muskat, Cayennepfeffer und Zucker
4 Tomaten
einige Tropfen Pernod

Eintopf der Fischer

1. Das Fischfilet waschen, trockentupfen, in mundgerechte Würfel schneiden, mit Zitronensaft und Worcestersauce beträufeln, mit Salz und Pfeffer würzen und im Kühlschrank 10–15 Minuten ziehen lassen.

2. Die Zwiebel schälen und fein hacken, die Knoblauchzehen schälen und mit Salz zu einer Paste zerreiben.

3. Die Butter oder Margarine in einem Topf erhitzen und Zwiebeln und Knoblauch darin glasig schwitzen.

4. Die Paprikaschoten putzen, schneiden, die Kartoffeln schälen und würfeln, zu den Zwiebeln geben und mitschwitzen.

5. Mit Weißwein ablöschen und mit der Fischbrühe auffüllen.
Das Ganze bei mäßiger Hitze 10–15 Minuten köcheln lassen.

6. Den Eintopf mit Paprikapulver, Muskat, Cayennepfeffer, Zucker, Salz, Pfeffer, Zitronensaft und Worcestersauce kräftig abschmecken.

7. Die enthäuteten, entkernten und in Würfel geschnittenen Tomaten mit dem Fischfilet in den Eintopf geben, mit Pernod aromatisieren und weitere 8–10 Minuten garziehen lassen.

8. Den Eintopf anrichten, ausgarnieren und servieren.

Kartoffeltopf mit Minirouladen

FÜR 4 PERSONEN:
3 dünne Rinderrouladen à 200 g
Salz
Pfeffer aus der Mühle
1 Prise Paprikapulver
4 EL süßen Senf
4 EL Butterschmalz
2 Zwiebeln
4 Karotten
500 g Kartoffeln
1 kleine Stange Lauch
1/2 l Gemüsebrühe
1 Prise Cayennepfeffer
1 Prise Zucker
1/2 Becher Crème fraîche
1 Bund Petersilie

1. Die Fleischscheiben unter fließendem Wasser waschen, trockentupfen und der Länge nach in drei Streifen schneiden.

2. Die Fleischstreifen mit Salz, Pfeffer und Paprikapulver kräftig würzen und mit süßem Senf bestreichen.

3. Anschließend die Streifen zu Rouladen zusammendrehen und mit Zahnstochern feststecken.

4. Das Butterschmalz in einem Topf erhitzen und die Rouladen darin rundherum kräftig anbraten.

5. Die Zwiebeln schälen, fein hacken, mit den geschälten und in Würfel oder Scheiben geschnittenen Karotten zum Fleisch geben und kurz mitbraten.

6. Die Kartoffeln schälen, würfeln, zum Gemüse geben und weiterbraten.

7. Den Lauch putzen, waschen, in Scheiben schneiden, ebenfalls zum Gemüse geben und kurz mitschwitzen.

8. Das Ganze mit der Gemüsebrühe auffüllen, mit Salz, Pfeffer, Cayennepfeffer und Zucker kräftig abschmecken und bei mäßiger Hitze 50–60 Minuten köcheln lassen.

9. Den Eintopf mit Crème fraîche verfeinern, nochmals abschmecken, anrichten, mit gehackter Petersilie bestreuen, ausgarnieren und servieren.

Kleine Köstlichkeiten

Feinschmeckerkartoffeln Granola

FÜR 4 PERSONEN:
1,2 kg Kartoffeln
Salz
1–2 EL Kümmel
2 Becher Sahnedickmilch
2–3 El mittelscharfen Senf
Saft von 1 Zitrone
Salz
Pfeffer aus der Mühle
1 Prise Cayennepfeffer
1 Tasse Sauerampfer
1 Bund Schnittlauch
4 hartgekochte Eier
einige Tropfen Worcestersauce

1. Die Kartoffeln mit einer Bürste unter fließendem Wasser kräftig abbürsten und auf entsprechend große Stücke Alufolie legen.

2. Die Kartoffeln mit Salz und Kümmel bestreuen, in die Alufolie einwickeln.

3. Die Kartoffeln auf ein Backblech setzen und im auf 180–200 °C vorgeheizten Backofen 20–25 Minuten ausbacken.

4. In der Zwischenzeit die Sahnedickmilch mit dem Senf und dem Zitronensaft in eine Schüssel geben und glattrühren.

5. Den Dip mit Salz, Pfeffer und Cayennepfeffer kräftig abschmecken.

6. Den Sauerampfer verlesen, waschen, gut abtropfen lassen, fein hacken. Mit dem verlesenen, gewaschenen und kleingeschnittenen Schnittlauch zur Sauce geben.

7. Die hartgekochten Eier pellen, fein hacken und mit den Kräutern unter den Dip rühren.

8. Den Dip nochmals abschmecken und mit Worcestersauce verfeinern.

9. Die fertigen Kartoffeln mit einem Messer an der Oberfläche über Kreuz einschneiden und von außen her zusammendrücken.

10. In die Öffnung etwas Dip geben, anrichten und sofort servieren.

Kräuter–Rahm–Dip

FÜR 4 PERSONEN:
250 g Sauerrahm
1/2 Tasse Buttermilch
Salz
Pfeffer aus der Mühle
1 Prise Cayennepfeffer
einige Tropfen Zitronensaft
1 Tasse frische, gehackte Kräuter

1. Den Sauerrahm mit der Buttermilch in eine Schüssel geben und glattrühren.

2. Das Ganze mit Salz, Pfeffer, Cayennepfeffer und Zitronensaft kräftig abschmecken.

3. Die frischgehackten Kräuter unterrühren, in eine Schale füllen und zum weiteren Verzehr bereitstellen.

Feinschmeckerkartoffeln Desiree

FÜR 4 PERSONEN:
1,2 kg Kartoffeln
Salzwasser
1 EL Kümmel
1 EL Majoran
125 g Magerquark
1 Becher Sahnedickmilch
Saft von 1 Zitrone
einige Tropfen Worcestersauce
Salz
Pfeffer aus der Mühle
1 Prise gemahlenen Kümmel
100 g durchwachsenen geräucherten Speck
1–2 EL Butter oder Margarine
2 Gemüsezwiebeln
1 Bund Petersilie

1. Die Kartoffeln unter fließendem Wasser waschen und mit einer Bürste abreiben.

2. Die Kartoffeln in einen Topf geben und mit Salzwasser bedecken.

3. Den Kümmel und den Majoran dazugeben und die Kartoffeln zugedeckt in 20 Minuten garen.

4. In der Zwischenzeit den Magerquark mit der Sahnedickmilch und dem Zitronensaft glattrühren.

5. Das Ganze mit Worcestersauce, Salz, Pfeffer und Kümmel kräftig abschmecken und bereitstellen.

6. Den in feine Würfel geschnittenen Speck mit der Butter oder Margarine in eine Pfanne geben und kräftig rösten.

7. Die Gemüsezwiebeln schälen, in feine Würfel oder Streifen schneiden, zum Speck geben und glasig schwitzen.

8. Die verlesene, gewaschene und feingehackte Petersilie zu den Speckzwiebeln geben und das Ganze mit Salz und Pfeffer abschmecken.

9. Die Kartoffeln pellen, anrichten, mit einem Klacks Quark überziehen und die noch warmen Speckzwiebeln gleichmäßig darauf verteilen.

10. Das Ganze ausgarnieren und sofort servieren.

Feinschmeckerkartoffeln Nicola

FÜR 4 PERSONEN:
1,2 kg Kartoffeln
Salzwasser
1 EL Kümmel
1 EL Majoran
125 g Magerquark
1 Becher Sahne-dickmilch
Saft von 1 Zitrone
einige Tropfen Worcestersauce
3–4 EL frisch geriebenen Meerrettich
Salz
Pfeffer aus der Mühle
1 Prise Cayennepfeffer
1 Prise Zucker
150 g Räucherlachs
1 Bund Dill

1. Die Kartoffeln unter fließendem Wasser waschen, mit einer Bürste kräftig abreiben und in einen Topf geben.

2. Die Kartoffeln mit Salzwasser bedecken. Den Kümmel und den Majoran dazugeben und zugedeckt in 20 Minuten garen.

3. In der Zwischenzeit den Magerquark mit der Sahnedickmilch, dem Zitronensaft, der Worcestersauce und dem Meerrettich verrühren.

4. Den Dip mit Salz, Pfeffer, Cayennepfeffer und Zucker kräftig abschmecken.

5. Die Kartoffeln pellen, anrichten, mit einem Klacks Dip überziehen. Den Räucherlachs in Streifen schneiden oder im Ganzen dekorativ darauf anrichten.

6. Den Dill verlesen, waschen, gut abtropfen lassen, kleinschneiden und das Ganze damit bestreuen. Ausgarnieren und sofort servieren.

Roquefort–Kresse–Dip

FÜR 4 PERSONEN:
2 Schalotten
125 g Roquefort–Käse
1 Becher Sahne dickmilch
einige Tropfen Worcestersauce
einige Tropfen Zitronensaft
Salz
Pfeffer aus der Mühle
eine Prise Cayennepfeffer
einge Tropfen Weinbrand
1 Kästchen Kresse

1. Die Schalotten schälen, fein hacken, mit dem mit einer Gabel zerdrückten Roquefort–Käse und der Sahnedickmilch in eine Schüssel geben und glattrühren.

2. Den Dip mit Zitronensaft, Worcester–Sauce, Salz, Pfeffer, und Cayennepfeffer abschmecken und mit Weinbrand aromatisieren.

3. Die verlesene, gewaschene Kresse in den Dip rühren, nochmals abschmecken und zum weiteren Verzehr bereitstellen

Feinschmecker-kartoffeln mit Kaviar

FÜR 4 PERSONEN:
1,2 kg frische Pellkartoffeln
1 Becher Sahnedickmilch
1 Becher Sauerrahm
Saft von 1 Zitrone
einige Tropfen Worcestersauce
Salz
Pfeffer aus der Mühle
1 Prise Cayennepfeffer
1 Glas Lachskaviar
Brunnenkresse und Limettenscheiben zum Garnieren

1. Die Pellkartoffeln wie im Rezept Feinschmeckerkartoffeln Nicola beschrieben garen und bereitstellen.

2. In der Zwischenzeit die Sahnedickmilch mit der sauren Sahne, dem Zitronensaft und der Worcestersauce glattrühren.

3. Den Dip mit Salz, Pfeffer und Cayennepfeffer kräftig würzen.

4. Die Pellkartoffeln pellen, anrichten, mit einem Klacks Dip überziehen und mit Lachskaviar belegen.

5. Die verlesene, gewaschene Brunnenkresse dazugeben, mit Limettenscheiben ausgarnieren und sofort servieren.

Eier–Dip

FÜR 4 PERSONEN:
200 g Doppelrahmfrischkäse
1 Schuß Buttermilch
4 hartgekochte Eigelb
einige Tropfen Zitronensaft
Salz
Pfeffer aus der Mühle
eine Prise Zucker

1. Den Doppelrahmfrischkäse mit der Milch in eine Schüssel geben und glattrühren.

2. Die Eigelbe durch ein Sieb streichen und unter den Frischkäse ziehen.

3. Den Dip mit Zitronensaft, Salz, Pfeffer und Zucker kräftig abschmecken. Anrichten ausgarnieren und servieren.

FÜR 4 PERSONEN:
1,2 kg neue Kartoffeln
Salzwasser
1–2 EL Kümmel

FÜR DEN PFEFFERDIP
250 g Magerquark
1/2 Becher Sahnedickmilch
Saft von 1 Zitrone
1 El mittelscharfen Senf
Salz
Pfeffer aus der Mühle
1 Prise Zucker
1 Zwiebel
1 EL grüne Pfefferkörner
1/2 Bund Schnittlauch

FÜR DIE KÄSECREME
100 g Rotschimmelkäse
250 g Magerquark
1/2 Becher Dickmilch
Saft von 1 Zitrone
Salz
Pfeffer aus der Mühle
je 1 Prise Muskat und Zucker
1/2 Tasse Walnüsse

FÜR DEN SCHINKENDIP
1–2 EL Butter oder Margarine
1 Zwiebel
50 g Schinkenspeck
250 g Magerquark
1/2 Becher Sahnedickmilch
Salz
Pfeffer aus der Mühle
je 1 Prise Cayennepfeffer und Zucker
1 EL geschrotete Pfefferkörner

Pellkartoffeln mit Dips

1. Die Kartoffeln im Salzwasser mit dem Kümmel bißfest garen.

2. Für den Dip den Quark mit der Dickmilch, dem Zitronensaft und dem Senf glattrühren und mit Salz, Pfeffer und Zucker abschmecken.

3. Die feingehackte Zwiebel mit den Pfefferkörnern und dem feingeschnittenen Schnittlauch untermischen.

4. Für die Käsecreme den Rotschimmelkäse in einer Schüssel zerdrücken, mit Magerquark, Dickmilch und Zitronensaft glattrühren und mit Salz, Pfeffer, Muskat und Zucker abschmecken.

5. Die Walnüsse hacken, 2/3 der Nüsse unter die Creme rühren, den Rest zum Bestreuen bereitstellen.

6. Für den Schinkendip die Butter oder Margarine mit der gehackten Zwiebel und dem gewürfelten Speck in einer Pfanne braten.

7. Das Ganze vom Feuer nehmen, erkalten lassen, mit dem Magerquark und der Sahnedickmilch glattrühren. Mit Salz, Pfeffer, Cayennepfeffer und Zucker abschmecken. anrichten und mit den geschroteten Pfefferkörnern bestreuen.

8. Die Pellkartoffeln mit den Dips anrichten, ausgarnieren und servieren

FÜR 4 PERSONEN:
1,2 kg frische Pellkartoffeln
2 rote Zwiebeln
500 g Magerquark
1/4 l Buttermilch
Saft von 1 Zitrone
3–4 EL Sahnemeerrettich
Salz
Pfeffer aus der Mühle
1 Prise Cayennepfeffer
1 Prise Zucker
2 Tassen gemischte, frische Sprossen oder Keimlinge

Pellkartoffeln mit Sprossen

1. Die Pellkartoffeln wie im Rezept Feinschmeckerkartoffeln Nicola beschrieben garen und bereitstellen.

2. Während der Garzeit die Zwiebeln schälen, fein hacken und bereitstellen.

3. Den Magerquark mit der Buttermilch, dem Zitronensaft, der Worcestersauce und dem Meerrettich in eine Schüssel geben und glattrühren.

4. Die Zwiebeln in den Quark einrühren und das Ganze mit Salz, Pfeffer, Cayennepfeffer und Zucker kräftig abschmecken.

5. Die verlesenen und gewaschenen Sprossen je nach Bedarf kleinschneiden und 2/3 der Sprossen oder Keimlinge unter den Quark ziehen.

6. Den Quark nochmals abschmecken. Die Pellkartoffeln pellen, anrichten. Mit dem Quark überziehen, mit den restlichen Sprossen bestreuen, ausgarnieren und sofort servieren.

Ofenkartoffeln Play Off

FÜR 4 PERSONEN:
1 kg kleine Kartoffeln
250 g durchwachsenen geräucherten Speck
2–3 EL Sonnenblumenöl
1 EL Majoran
1 EL Kümmel
1 EL Rosmarin
Salz
Pfeffer aus der Mühle
500 g Zwiebeln
1–2 EL Olivenöl
1 Becher süße Sahne
1–2 EL Weißweinessig
1 Prise Zucker

1. Die Kartoffeln unter fließendem Wasser waschen und abbürsten.

2. Die Kartoffeln mit Salzwasser in einem Wok 10 Minuten vorgaren.

3. Anschließend die Kartoffeln abgießen und erkalten lassen.

4. Den Speck in mundgerechte Stücke schneiden.

5. Die Kartoffeln je nach Größe halbieren oder im Ganzen abwechselnd mit dem Speck auf Spieße stecken.

6. Die Spieße mit Sonnenblumenöl einstreichen, mit Majoran, Kümmel und Rosmarin sowie Salz und Pfeffer bestreuen.

7. Die Zwiebeln schälen und in hauchdünne Scheiben schneiden. Das Olivenöl in eine feuerfeste, grillgeeignete Pfanne geben und auf dem Grill erhitzen.

8. Die Zwiebeln dazugeben und glasig schwitzen. In der Zwischenzeit die Kartoffelspieße auf den Grillrost legen und garen.

9. Die Zwiebeln mit Sahne auffüllen und einmal aufkochen lassen.

10. Die Zwiebelsauce würzen.

11. Die Kartoffelspieße mit der Zwiebelsauce anrichten, ausgarnieren und servieren.

Foto Seite 50/51

Pellkartoffeln mit Buttermilchquark

FÜR 4 PERSONEN:
500 g Sahnequark
1/8 l Buttermilch
Saft von 1 Zitrone
einige Tropfen Worcestersauce
1 Zwiebel
1 Bund Radieschen
Salz
Pfeffer aus der Mühle
1 Prise Cayennepfeffer
1 Prise Zucker
1 Bund Schnittlauch
1,2 kg frische Pellkartoffeln

1. Den Quark mit der Buttermilch und dem Zitronensaft sowie der Worcestersauce in eine Schüssel geben und glattrühren.

2. Die Zwiebel schälen und fein hacken.

3. Die Radieschen putzen, waschen und ebenfalls fein hacken oder in Streifen schneiden.

4. Die Zwiebeln und die Radieschen unter den Quark rühren und das Ganze mit Salz, Pfeffer, Cayennepfeffer und Zucker kräftig abschmecken.

5. Den Schnittlauch verlesen, waschen, fein schneiden und unter den Buttermilchquark ziehen.

6. Die frischen Pellkartoffeln pellen, anrichten. Mit dem Buttermilchquark überziehen, ausgarnieren und sofort servieren.

FÜR 4 PERSONEN:
1,2 kg Kartoffeln
Salzwasser
1–2 EL Kümmel
2 EL Kräuter der Provence

FÜR DEN SCHNITTLAUCH-QUARK:
500 g Quark
1/8 l Buttermilch
1 Zwiebel
Saft von 1 Zitrone
1 EL gemahlenen Kümmel
je 1 Prise Muskat und Cayennepfeffer
einige Tropfen Worcestersauce
Salz
Pfeffer aus der Mühle
1 Prise Zucker
1–2 Bund Schnittlauch

Pellkartoffeln mit Schnittlauch-Quark

1. Die Kartoffeln waschen und in einen Topf geben.

2. Das Salzwasser angießen, mit Kümmel und den Kräutern würzen.

3. Die Kartoffeln zugedeckt zum Kochen bringen und bißfest garen.

4. Den Quark mit der Buttermilch in einer Schüssel glattrühren.

5. Die Zwiebel fein reiben, mit dem Zitronensaft und dem Kümmel unter den Quark rühren.

6. Mit Muskat, Cayennepfeffer, Worcestersauce, Salz, Pfeffer und Zucker abschmecken.

7. Den geschnittenen Schnittlauch untermischen und das Ganze abschmecken.

8. Die Kartoffeln abgießen, anrichten und mit dem Schnittlauchquark servieren.

FÜR 4 PERSONEN:
1,5 kg Kartoffeln
1 Tasse Olivenöl
Salz
Pfeffer aus der Mühle
1 EL Kümmel, Majoran, Thymian und Rosmarin

FÜR DIE DIPS:
500 g Magerquark
1/2 Becher Kefir
1 Zwiebel
Saft von 1 Zitrone

AUSSERDEM:
1/2 Salatgurke
1 Bund Schnittlauch
1 EL Tsatsiki-Gewürz
je 1 Prise Cayennepfeffer und Zucker
1 Kästchen Kresse
3 EL Tomatenmark und Johannisbeergelee
1 rote Paprikaschote
1/2 Bund Radieschen

Gebackene Kartoffeln mit Dips

1. Die Kartoffeln halbieren und auf ein mit Alufolie ausgelegtes Blech setzen.

2. Mit Olivenöl bestreichen, mit Salz und Pfeffer würzen, mit Kümmel, Majoran, Thymian und Rosmarin bestreuen.

3. Im auf 180–200 °C vorgeheizten Backofen 30–40 Minuten backen.

4. Den Magerquark mit Kefir und der feingeriebenen Zwiebel sowie dem Zitronensaft glattrühren.

Foto Seite 8/9

5. Die Quarkmasse halbieren und auf zwei Schüsseln verteilen.

6. Die Salatgurke fein reiben.

7. Mit dem Schnittlauch und dem Tsatsiki-Gewürz unter einen Teil des Quarks rühren und abschmecken.

8. Die Kresse mit Tomatenmark und Johannisbeergelee unter den zweiten Teil des Quarks rühren.

9. Die Paprikaschote und die Radieschen fein würfeln, unter die Quarkmasse rühren und abschmecken.

10. Die Kartoffeln anrichten, ausgarnieren und mit den Dips servieren.

FÜR 4 PERSONEN:
12–16 kleine Pellkartoffeln
Salzwasser
40–50 g ungeschälter Sesam
2–3 EL Sonnenblumenöl

AUSSERDEM:
2 Becher Joghurt
2–3 EL Mayonnaise
1 EL mittelscharfen Senf
Salz
Pfeffer aus der Mühle
1 Prise Zucker
1 Prise Cayennepfeffer
2–3 EL Kürbiskerne

Sesamkartoffeln mit Joghurtcreme

1. Die Kartoffeln unter fließendem Wasser waschen, gut abtropfen lassen, in einen Topf geben, mit Salzwasser angießen und zu Pellkartoffeln kochen.

2. Die noch heißen Kartoffeln pellen, halbieren und rundherum mit Sesam bestreuen.

3. Das Sonnenblumenöl erhitzen und die Kartoffeln darin kurz rösten.

4. In der Zwischenzeit den Joghurt mit der Mayonnaise in eine Schüssel geben und glattrühren.

5. Den Senf einrühren und das Ganze mit Salz, Pfeffer, Zucker und Cayennepfeffer würzen.

6. Die Kürbiskerne untermischen.

7. Die Pellkartoffeln anrichten, portionsweise die Joghurtcreme dazugeben, das Ganze ausgarnieren und servieren.

FÜR 4 PERSONEN:
4–8 große Kartoffeln
Salzwasser

FÜR DIE FÜLLUNG:
400 g Frischkäse mit französischen Kräutern
200 g Gorgonzola
200 g gekochten Schinken
2 Eigelb
1 TL Kümmel
Salz
Pfeffer aus der Mühle

Überbackene Käsekartoffeln

1. Die Kartoffeln waschen, mit der Schale in einen Topf geben, Salzwasser angießen und zum Kochen bringen.

2. Die Kartoffeln 25 Minuten kochen lassen.

3. In der Zwischenzeit für die Füllung den Frischkäse mit einer Gabel zerdrücken, mit dem Gorgonzola in eine Schüssel geben und kräftig durchschlagen.

4. Den Schinken fein würfeln, mit den Eigelben und dem Kümmel unter die Käsemasse rühren.

5. Das Ganze mit Salz und Pfeffer kräftig abschmecken.

6. Die Kartoffeln etwas abkühlen lassen und mit der Schale der Länge nach halbieren.

7. Die Kartoffelhälften mit einem Teelöffel etwas aushöhlen, das Ausgehöhlte mit einer Gabel zerdrücken und unter die Käsemasse mischen.

8. Die Kartoffelhälften damit füllen, in eine Auflaufform setzen und das Ganze im auf 220 °C vorgeheizten Backofen goldgelb in 10–15 Minuten überbacken. Herausnehmen, auf Blattsalaten anrichten, ausgarnieren und servieren.

Kartoffel-Pflanzerl

FÜR 4 PERSONEN:
1 kg Kartoffeln
Salzwasser
1 EL Kümmel
2-3 EL Butter / Margarine
100 g gekochten Schinken
1 Zwiebel
4 Frühlingszwiebeln
100 g ger. Emmentaler
4 Eier
1 Bund Schnittlauch
1 Bund Petersilie
1 EL Kräuter der Provence
Haferflocken zum Binden
Salz
Pfeffer aus der Mühle
1 Prise Muskat
1 Prise Cayennepfeffer
Pflanzenfett zum Backen

1. Die Kartoffeln in Salzwasser mit Kümmel kochen, anschließend durch die Kartoffelpresse treiben.

2. Die Butter oder Margarine erhitzen und den fein gewürfelten Schinken anschwitzen.

3. Die Zwiebel und die Frühlingszwiebeln fein würfeln, zum Schinken geben und glasig schwitzen.

4. Die Schinkenmasse vom Feuer nehmen und zur Kartoffelmasse geben.

5. Den Emmentaler mit den Eiern, den feingehackten Kräutern und den Kräutern der Provence zur Kartoffelmasse geben und vermischen.

6. Die Kartoffelmasse mit Haferflocken leicht binden.

7. Mit Salz, Pfeffer, Muskat und Cayennepfeffer abschmecken.

8. Den Kartoffelteig zu kleinen Buletten abdrehen, Pflanzenfett erhitzen und die Kartoffelpflanzerl auf beiden Seiten goldgelb backen.

9. Die Kartoffelpflanzerl anrichten, mit einer Tomatensauce und gemischtem Salat servieren.

Knusprige Kartoffelbauzen

FÜR 4 PERSONEN:
1 kg Kartoffeln
1 EL Kümmel
1 EL Koriander
1 TL Anis
Salz

AUSSERDEM
200 g Vollkornmehl
2 Eier
1 Schuß Sahne
1/2 Bund Petersilie
1/2 Bund Estragon
1/2 Bund Brunnenkresse
1/2 Bund Sauerampfer
Salz
Pfeffer aus der Mühle
1 Prise Muskatpulver
1 Prise Cayennepfeffer
Öl zum Ausbacken

1. Die Kartoffeln unter fließendem Wasser waschen, gut abtropfen lassen und in einen Topf geben.

2. Den Kümmel, den Koriander, den Anis und das Salz dazugeben. Mit Wasser angießen und die Kartoffeln garen.

3. Die fertiggegarten Kartoffeln vom Feuer nehmen, abgießen, leicht erkalten lassen und anschließend pellen.

4. Die Kartoffeln noch warm durch die Kartoffelpresse treiben und in eine Schüssel geben.

5. Das Vollkornmehl, die Eier und die Sahne dazugeben und alles zu einem glatten, kompakten Teig verarbeiten.

6. Die verlesenen, gewaschenen und feingehackten Kräuter untermischen. Das Ganze mit Salz, Pfeffer, Muskat und Cayennepfeffer kräftig abschmecken.

7. Aus der Kartoffelmasse mit bemehlten Händen etwa 1 cm dicke Würstchen formen und diese im schwimmenden Fett goldgelb ausbacken. Herausnehmen, anrichten, ausgarnieren und servieren

FÜR 4 PERSONEN:
4 Eigelb
2–3 EL mittelscharfen Senf
1 Tasse Olivenöl
1 Becher saure Sahne
2–3 EL Obstessig
einige Tropfen Zitronensaft
einige Tropfen Worcestersauce
Salz
Pfeffer aus der Mühle
1 Prise Cayennepfeffer
1 Prise Zucker
1 1/2 Tassen gemischte, gehackte Kräuter (Dill, Estragon, Schnittlauch, Petersilie, Pimpinelle, Zitronenmelisse und Borretsch)
4 Portionen frische Pellkartoffeln
4 Eier
2–3 EL Butter oder Margarine

Pellkartoffeln mit Frankfurter Soße

1. Die Eigelbe in eine Schüssel geben, den Senf dazugeben und glattrühren.

2. Das Olivenöl tropfenweise mit dem Schneebesen unter die Eigelbcreme rühren.

3. Die saure Sahne einrühren. Das Ganze mit Obstessig, Zitronensaft und Worcestersauce abschmecken.

4. Die Soße mit Salz, Pfeffer, Cayennepfeffer und Zucker abrunden.

5. Die verlesenen, gewaschenen und feingehackten Kräuter unter die Soße ziehen und bereitstellen.

6. Die Pellkartoffeln pellen, anrichten, mit der Soße überziehen.

7. Die Eier in einer Pfanne mit der Butter zu Spiegeleiern ausbacken. Zu den Pellkartoffeln geben. Das Ganze ausgarnieren und sofort servieren.

FÜR 4 PERSONEN:
50 g Grünkern
1/4 l Gemüsebrühe
600 g mehlig kochende Kartoffeln,
Salzwasser
1 Ei, 3 EL Sahne-Dickmilch
Salz, Pfeffer aus der Mühle
1 TL gemahlenen Kümmel
2-3 EL Semmelbrösel

AUSSERDEM:
1 Tasse Weizenmehl
2 Eier
1 Tasse Semmelbrösel
Butterschmalz

FÜR DIE SCHNITTLAUCHSAUCE:
1 Becher Sahne-Dickmilch
1 Tasse Mayonnaise
2 EL Sahne-Meerrettich
1 Schuß Weißwein
Saft von 1 Zitrone
Salz, Pfeffer aus der Mühle
1 Prise Zucker
einige Tropfen Zitronensaft
+ Worcestersauce
2 Bund Schnittlauch

Deftige Kartoffelrollen

1. Den Grünkern mit der Brühe in eine Schüssel geben und über Nacht einweichen.

2. Den Grünkern mit dem Einweichwasser 20-25 Minuten zugedeckt köcheln lassen.

3. Die Kartoffeln in Salzwasser garen, herausnehmen, pellen und durch die Presse treiben.

4. Das Ei mit der Dickmilch unter den Kartoffelbrei rühren, mit Salz, Pfeffer und Kümmel abschmecken.

5. Die Semmelbrösel und den abgetropften Grünkern unter die Masse heben, abschmecken.

6. Die Masse zu Rollen von 4-5 cm Länge und 2-3 cm Dicke formen.

7. Die Rollen zuerst im Mehl wenden, anschließend durch das verquirlte Ei ziehen und mit Semmelbröseln panieren.

8. Die Kartoffelrollen im Schmalz goldgelb braten, herausnehmen und mit der Schnittlauchsauce servieren.

9. Für die Schnittlauchsauce die Sahne-Dickmilch mit der Mayonnaise glattrühren.

10. Den Sahne-Meerrettich und den Wein sowie den Zitronen-saft dazugeben und alles gut miteinander vermischen.

11. Mit Salz, Pfeffer, Zucker, Zitronensaft und Worcestersauce abschmecken.

12. Den Schnittlauch verlesen, waschen, fein schneiden und unter die Sauce ziehen. Das Ganze nochmals abschmecken und servieren.

FÜR 4 PERSONEN:
1 kg gekochte Kartoffeln
125 g Mehl
2 Eier
Salz
Pfeffer aus der Mühle
1 Prise Muskatpulver
1–2 EL Butter oder Margarine
75 g durchwachsenen geräucherten Speck
1 Zwiebel
je 1 rote und grüne Paprikaschote
100 g gek. Schinken
1 TL Kräuter der Provence
1/2 Bund Schnittlauch
Öl zum Ausbacken

Gemüse-Kartoffel-Plätzchen

1. Die Kartoffeln schälen und durch die Kartoffelpresse treiben.

2. Das Mehl und die Eier dazugeben und alles zu einem glatten, kompakten Teig verarbeiten. Mit Salz, Pfeffer und Muskat kräftig würzen.

3. Die Butter oder Margarine in einer Pfanne erhitzen und den in feine Würfel geschnittenen Speck darin auslassen.

4. Die Zwiebel und die Paprikaschoten putzen. In feine Würfel schneiden, zum Speck geben und kurz mitbraten.

5. Den in feine Würfel geschnittenen Schinken dazugeben, die Kräuter der Provence und den feingeschnittenen Schnittlauch untermischen. Das Ganze mit Salz und Pfeffer abschmecken. Vom Feuer nehmen und unter die Kartoffelmasse arbeiten.

6. Die Masse auf einer bemehlten Arbeitsfläche zu einer 5–6 cm dicken Rolle ausrollen und anschließend mit einem Messer 1 cm dicke Scheiben abschneiden.

7. Die Kartoffelscheiben im schwimmenden Fett goldgelb ausbacken. Herausnehmen, anrichten und servieren.

8. Sehr gut lassen sich aus dieser Masse Figuren, wie Sterne, Halbmonde oder andere Tierzeichen ausstechen und ausbacken.

FÜR 4 PERSONEN:
1 kg Kartoffeln
60 g Mehl
40 g Speisestärke
1 EL Salz
weißen Pfeffer aus der Mühle
1 Prise Muskatpulver
Mehl zum Bestauben

AUSSERDEM:
Salzwasser
100 g Butterschmalz
1 Bund Petersilie
1/2 Bund Majoran
Salz,
Pfeffer aus der Mühle

Kartoffel-Schupfnudeln

1. Die Kartoffeln waschen, in der Schale garen, pellen und zweimal durch die Kartoffelpresse treiben. Vollständig erkalten lassen, mit dem Mehl, der Speisestärke, dem Salz, dem weißen Pfeffer und dem Muskat zu einem glatten Teig verarbeiten.

2. Den Teig auf einer bemehlten Arbeitsfläche zu einer ca. 2 cm dicken Rolle formen und in 1 cm dicke Scheiben schneiden.

3. Die Scheiben zu etwa fingerdicken Röllchen formen und diese portionsweise in kochendes Salzwasser geben.

4. Die Nudeln garen. Anschließend mit einem Schaumlöffel herausnehmen, mit kaltem Wasser abbrausen und gut abtropfen lassen.
Etwa 2 Stunden auf ein sauberes Küchentuch zum Abtrocknen legen.

5. Das Butterschmalz in einer großen Pfanne erhitzen und die Schupfnudeln darin goldbraun braten.
Mit den feingehackten Kräutern bestreuen, mit Salz und Pfeffer würzen, ausgarnieren und servieren.

FÜR 4 PERSONEN:
750 g mehlig kochende Kartoffeln
Salzwasser
200 g Weizenvollkornmehl
1 Ei
1 TL Salz
1 Prise Muskat

FÜR DIE SAUCE:
3 Äpfel, z.B. Jonagold
Saft von 1 Zitrone
1-2 EL Butter/Margarine
1 Stange Lauch
1 Staudensellerie
1 Glas Apfelsaft
1/4 l Gemüsebrühe
Salz
Pfeffer aus der Mühle
1/2 Bund Majoran
2-3 EL Crème fraîche

Kartoffelnocken mit Apfelsauce

1. Die Kartoffeln waschen, mit der Schale in einen Topf geben, Salzwasser angießen und die Kartoffeln in 20–25 Minuten garen.

2. Die Kartoffeln herausnehmen, abgießen, leicht erkalten lassen, pellen und sofort durch die Kartoffelpresse treiben.

3. Das Weizenvollkornmehl mit Ei, Salz und dem Muskat dazugeben und das Ganze zu einer Masse verarbeiten.

4. Den Teig etwa 15 Minuten ruhen lassen und anschließend mit zwei Teelöffeln Nocken abstechen.

5. Die Kartoffelnocken im siedenden Wasser 5 Minuten garziehen lassen, gut abtropfen lassen und warm stellen.

6. Für die Sauce die Äpfel schälen, entkernen und würfeln, mit Zitronensaft beträufeln.

7. Das Fett in einer Pfanne erhitzen und das kleingeschnittene Gemüse darin anschwitzen.

8. Die Äpfel dazugeben, mit Apfelsaft ablöschen, mit der Gemüsebrühe auffüllen und kräftig einreduzieren lassen.

9. Die Sauce mit Salz und Pfeffer abschmecken, den frisch gehackten Majoran unterziehen und mit der Crème fraîche verfeinern.

10. Die Kartoffelnocken in die Sauce geben, nochmals erhitzen, durchschwenken, anrichten, ausgarnieren und servieren.

FÜR 4 PERSONEN:
750 g mehlig kochende Kartoffeln
Salzwasser
250 g Mehl
1 Ei
1 Prise Salz
1 Prise Muskat
1 Zwiebel
2–3 EL Butter oder Margarine
2 Knoblauchzehen
1 TL Salz
500 g frischen Blattspinat
1 Tasse Gemüsebrühe
1 Tasse Vollmilch
200 g Frischkäse mit französischen Kräutern
Johannisbrotkernmehl zum Binden

Gratinierte Gnocchi auf Spinat

1. Die Kartoffeln waschen, und in einen Topf geben.

2. Salzwasser angießen und die Kartoffeln zugedeckt in 20 Minuten garen.

3. Anschließend abgießen, kurz erkalten lassen, pellen und durch die Kartoffelpresse treiben.

4. Die Kartoffeln mit dem gesiebten Mehl und dem Ei zu einem glatten, kompakten Teig verrühren.

5. Den Teig mit Salz und Muskat kräftig würzen und bereitstellen.

6. Die Zwiebel schälen, fein hacken, in einer Pfanne mit etwas Butter oder Margarine glasig schwitzen.

7. Die Knoblauchzehen schälen, mit Salz zu einer Paste zerreiben, zur Zwiebel geben und kurz mitschwitzen.

8. Den verlesenen, gewaschenen und grob geschnittenen Spinat ebenfalls kurz mitschwitzen.

9. Mit der Gemüsebrühe und der Milch aufgießen. Den Frischkäse einrühren und vollständig auflösen lassen.

10. Mit 2 Teelöffeln Gnocchi aus dem Teig formen und auf den Spinat legen.

11. Die Gnochi auf dem Blattspinat zugedeckt in 6-8 Minuten garziehen lassen.

12. Anschließend den Spinat und die Gnocchi anrichten. Die Soße mit etwas Johannisbrotkernmehl binden, gleichmäßig darauf verteilen, ausgarnieren und servieren.

Kartoffel–Gemüse–Pflanzerl

FÜR 4 PERSONEN:
1kg Kartoffeln
Salzwasser
1 EL Kümmel
2–3 EL Butter oder Margarine
100 g gekochten Schinken
1 Zwiebel
4 Frühlingszwiebeln
100 g geriebenen Emmentaler
4 Eier
1 Bund Schnittlauch
1 Bund Petersilie
1 EL Kräuter der Provence
Haferflocken zum Binden
Salz
Pfeffer aus der Mühle
1 Prise Muskat
1 Prise Cayennepfeffer
Pflanzenfett zum Backen

1. Die Kartoffeln in Salzwasser mit Kümmel kochen und anschließend durch die Karoffelpresse treiben.

2. Das Fett erhitzen und den fein gewürfelten Schinken darin auslassen.

3. Die Zwiebel und die Frühlingszwiebeln fein würfeln, zum Schinken geben und glasig schwitzen.

4. Die Schinkenmasse vom Feuer nehmen und zur Kartoffelmasse geben.

5. Den Emmentaler mit den Eiern und den feingehackten Kräutern sowie den Kräutern der Provence zur Kartoffelmasse geben und vermischen.

6. Die Karoffelmasse mit Haferflocken leicht binden und kräftig mit Salz, Pfeffer, Muskat und Cayennepfeffer abschmecken.

7. Den Kartoffelteig zu kleinen Buletten abdrehen, das Pflanzenfett erhitzen und die Kartoffelpflanzerl auf beiden Seiten goldgelb backen.

8. Die Kartoffelpflanzerl anrichten, mit einer Tomatensauce überziehen und mit einem gemischten Salat servieren.

Kartoffelpfannkuchen mit Speck

FÜR 4 PERSONEN:
1 kg festkochende Kartoffeln
2 Zwiebeln
150 g durchwachsenen geräucherten Speck
Salz
Pfeffer aus der Mühle
1 Prise Muskat
1 Prise Cayennepfeffer
3 Eier
1 Tasse Buttermilch
1 Tasse Mehl
Sonnenblumenöl

AUSSERDEM:
5–6 feste Tomaten
2 Schalotten
einige Tropfen Aceto balsamico
einige Tropfen Olivenöl
1 Prise Zucker
1/2 Bund Basilikum
1/2 Bund Schnittlauch

1. Die Kartoffeln schälen, grob reiben, in ein sauberes Küchentuch geben und kräftig ausdrücken.

2. Die Zwiebeln hacken, mit dem gewürfelten Speck trocken in eine Pfanne geben und ausbraten.

3. Die Speckzwiebeln mit den Kartoffeln in einer Schüssel vermischen und kräftig würzen.

4. Die Eier mit der Buttermilch und dem Mehl verrühren, zur Kartoffelmischung geben und alles miteinander vermischen.

5. Eine beschichtete Pfanne mit Öl leicht ausstreichen und portionsweise den Teig in die Pfanne geben.

6. Den Teig mit einer Palette andrücken und die Kartoffelpfannkuchen auf beiden Seiten goldgelb ausbacken.

7. Die Tomaten in Ecken schneiden, mit den feingehackten Schalotten in eine Schüssel geben, mit Essig und Olivenöl beträufeln, mit Salz, Pfeffer und Zucker bestreuen.

8. Das feingeschnittene Basilikum untermischen. Die Kartoffelpfannkuchen anrichten, den Tomatensalat dazugeben, mit geschnittenem Schnittlauch bestreuen, ausgarnieren und servieren.

Thüringer Klöße

FÜR 4 PERSONEN:
1 kg Kartoffeln
65 g Grieß
1/4 l Milch
Salz
weißen Pfeffer aus der Mühle
1 Prise Muskat
2 Scheiben Toastbrot
20 g Butter/ Margarine

1. Die Kartoffeln schälen, gut waschen und bereitstellen.

2. Den Grieß unter Rühren langsam in die kochende Milch einrieseln lassen und bei ganz schwacher Hitze ausquellen lassen.

3. In der Zwischenzeit die Kartoffeln reiben und in ein großes Küchentuch geben, kräftig ausdrücken.

4. Die Kartoffeln und den heißen Grieß gründlich miteinander vermischen, mit Salz, Pfeffer und Muskat kräftig würzen.

5. Die Toastbrotscheiben würfeln und in der heißen Butter goldgelb rösten.

6. Aus dem Teig mit angefeuchteten Händen Klöße von etwa 6–7 cm Durchmesser formen und in die Mitte 2–3 Brotwürfel drücken.

7. Zu Klößen rollen, bis eine glatte Außenschicht entsteht.

8. Salzwasser aufkochen lassen, alle Klöße einlegen und bei milder Hitze garziehen lassen, bis alle Klöße an der Oberfläche schwimmen. Die Klöße herausnehmen und als Beilage servieren.

Bratkartoffeln mit Rote–Beete–Salat

FÜR 4 PERSONEN
800 g Kartoffeln
800 g Rote Beete
1/4 l Gemüsebrühe
Salz, Pfeffer aus der Mühle
1 TL Kümmel
1 Schuß Obstessig
einige Tropfen Olivenöl
1 Becher Dickmilch
einige Tropfen Zitronensaft
1 Prise Zucker
je 1 Bund Schnittlauch und Dill
1 Kästchen Kresse
Olivenöl zum Braten
4 Eier

1. Die Kartoffeln im Salzwasser mit Kümmel bißfest garen, abtropfen lassen, pellen und würfeln.

2. Für den Rote-Beete-Salat die Rote Beete putzen, waschen, schälen und in der Gemüsebrühe bißfest garen.

3. Die Rote Beete herausnehmen, gut abtropfen lassen, in Streifen schneiden, mit Salz, Pfeffer, Kümmel, Obstessig und Olivenöl beträufeln und kurz durchziehen lassen.

4. Für das Dressing die Dickmilch glattrühren, mit Obstessig, Zitronensaft, Salz, Pfeffer und Zucker abschmecken und die verlesenen, gewaschenen und feingehackten Kräuter untermischen.

5. Die Kartoffelwürfel im Olivenöl goldgelb braten, die Eier zu Spiegeleiern braten.

6. Die Bratkartoffeln, den Rote-Beete-Salat, das Dressing und die Spiegeleier anrichten, ausgarnieren und servieren.

Pfälzer Kartoffelklöße

FÜR 4 PERSONEN:
4–5 altbackene Brötchen
1/2 l Milch
1 kg Kartoffeln
Salz
Pfeffer aus der Mühle
1 Prise Muskat
1 Ei
1/2 Bund Petersilie
Salzwasser
40 g Butter/Margarine
20 g Semmelbrösel

1. Die Brötchenrinde mit der Küchenreibe entfernen und die Brötchen in dünne Scheiben schneiden.

2. Die Milch zum Kochen bringen und gleichmäßig über die Brötchenscheiben gießen.

3. Die Kartoffeln schälen und fein reiben. In einem großen Küchentuch auspressen.

4. Die geriebenen Kartoffeln zu den Brötchen geben, mit Salz, Pfeffer und Muskat würzen. Das Ei und die gehackte Petersilie dazugeben und das Ganze zu einem glatten, kompakten Teig verkneten.

5. Aus dem Teig mit feuchten Händen Klöße von 5–6 cm Durchmesser formen und in kochendes Salzwasser legen.

6. Die Klöße bei milder Hitze garziehen lassen. Sie sind fertig, wenn alle Klöße an der Oberfläche schwimmen.

7. Die Klöße herausnehmen, gut abtropfen lassen und anrichten. Die Butter oder Margarine erhitzen und die Semmelbrösel darin goldgelb rösten.

8. Die gerösteten Brösel auf die Klöße verteilen. Die Klöße ausgarnieren und als Beilage servieren.

FÜR 4 PERSONEN:
800 g mehlig kochende Kartoffeln
3–4 EL Butterschmalz
150 g gekochten Schinken
1 Zwiebel
1 TL Majoran
30 g Mehl
3 Eigelb
Salz
Pfeffer aus der Mühle
1 Prise Muskat
1 Prise Cayennepfeffer
3 Eiweiß
100 ml Sahne

Kartoffelkuchen mit Schinken

1 Die Kartoffeln 20–25 Minuten garen.

2. Das Schmalz erhitzen und den fein gewürfelten Schinken darin anschwitzen.

3. Die Zwiebel schälen, fein hacken, zum Schinken geben und kurz mitschwitzen.

4. Die Kartoffeln abgießen, schälen und durch die Kartoffelpresse treiben.

5. Die Zwiebel-Schinken-Mischung mit dem Majoran, dem Mehl und den Eigelben unter die Masse rühren.

6. Mit Salz, Pfeffer, Muskat und Cayennepfeffer abschmecken.

7. Die Eiweiße und die Sahne vermischen, steif schlagen und unter die Kartoffelmasse heben.

8. Eine Pie-Form mit Butter oder Margarine ausfetten und mit Paniermehl bestreuen.

9. Die Masse einfüllen, glattstreichen und das Ganze im Wasserbad ca. 70–80 Minuten garziehen lassen. Anschließend herausnehmen und 10 Minuten garziehen lassen.

10. Den Kartoffelkuchen aus der Form stürzen, in Scheiben schneiden, anrichten und je nach Geschmack mit einem Tomatenquark überziehen, ausgarnieren und servieren.

FÜR 4 PERSONEN:
4 Schollenfilets à 200 g
einige Tropfen Zitronensaft
einige Tropfen Worcestersauce
Salz
Pfeffer aus der Mühle
2–3 EL Butter oder Margarine
1 Zwiebel
500 g gekochte Kartoffeln
200 g grüne Erbsen (TK-Produkt)
1 Schuß Weißwein
1/4 l Fischbrühe
1 Prise Cayennepfeffer
1 Tasse gemischte, gehackte Kräuter (Dill, Kerbel, Schnittlauch)
1 Becher Crème fraîche

Schollenfilet auf Erbsen–Kartoffelbett

1. Die küchenfertigen Schollenfilets unter fließendem Wasser waschen, trockentupfen, mit Zitronensaft und Worcestersauce beträufeln. Mit Salz und Pfeffer würzen und 10–15 Minuten ziehen lassen.

2. Die Butter oder Margarine in einer Auflaufform erhitzen und die geschälte und feingehackte Zwiebel darin glasig schwitzen.

3. Die Kartoffeln schälen, in Würfel oder Scheiben schneiden, mit den Erbsen zu den Zwiebeln geben und kurz anschwitzen.

4. Mit Weißwein ablöschen und mit der Fischbrühe auffüllen. Mit Salz, Pfeffer, Cayennepfeffer, Zitronensaft und Worcestersauce abschmecken.

5. Die Schollenfilets auf das Erbsen-Kartoffelbett legen.

6. Die verlesenen, gewaschenen und feingehackten Kräuter unter die Crème fraîche ziehen. Diese ebenfalls mit Zitronensaft, Worcestersauce, Salz und Pfeffer abschmecken und gleichmäßig auf den Filets verteilen.

7. Das Ganze im auf 180–200 °C vorgeheizten Backofen in 15–20 Minuten garen. Herausnehmen, anrichten, ausgarnieren und servieren.

Köstliche Salate

FÜR 4 PERSONEN:
2 Karotten
250 g Kartoffeln
1 kleine Sellerieknolle
1/4 l Gemüsebrühe
1 Glas Weißwein
1 Lorbeerblatt
einige Nelken
Saft von 1 Zitrone
250 g gek. Rindfleisch
gefüllte Oliven
1 kl. Glas Sardellenfilets

FÜR DAS DRESSING:
1/2 Tasse Estragonessig
1/2 Tasse Olivenöl
Salz
Pfeffer aus der Mühle
1 Prise Zucker
1/2 Bund Kerbel
1/2 Bund Estragon
2 hartgekochte Eier

Lyoner Kartoffelsalat

1. Die Karotten, die Kartoffeln und die Sellerieknolle schälen und in gleich große Würfel schneiden.

2. Die Brühe mit dem Weißwein in einen Topf geben und zum Kochen bringen.

3. Das Lorbeerblatt und die Nelken dazugeben und kurz ziehen lassen.

4. Das Gemüse in den Sud geben und bißfest garen.

5. Anschließend das Gemüse herausnehmen, gut abtropfen lassen und mit Zitronensaft beträufeln.

6. Das in Würfel geschnittene Rindfleisch, die in Scheiben geschnittenen Oliven sowie die kleingeschnittenen Sardellenfilets unter das Gemüse heben.

7. Für das Dressing eine halbe Tasse Gemüsefond abmessen. Mit dem Estragonessig und mit dem Olivenöl vermischen.

8. Das Dressing mit Salz, Pfeffer und Zucker kräftig abschmecken und die verlesenen, gewaschenen und feingeschnittenen Kräuter untermischen.

9. Den Salat damit anmachen und dekorativ anrichten.

10. Die Eier schälen, in Scheiben schneiden, auf dem Salat verteilen, ausgarnieren und servieren.

FÜR 4 PERSONEN:
400 g junge Blattspinatblätter
1 Zwiebel
2 Tomaten
4 hartgekochte Eier
100 g Katenschinken

FÜR DAS DRESSING:
1 Tasse Rinderkraftbrühe
1/2 Tasse Estragonessig
1 Zwiebel
Saft von 1/2 Zitrone
2 gekochte Kartoffeln
Salz
Pfeffer aus der Mühle
1 Prise Cayennepfeffer
1 Prise Zucker
1/2 Bund Oregano
1/2 Bund Basilikum
1/2 Tasse Traubenkernöl

Spinatsalat mit Kartoffeldressing

1. Den Blattspinat waschen, abtropfen lassen und in mundgerechte Stücke zerpflücken.

2. Die Zwiebel schälen und in feine Würfel schneiden.

3. Die Tomaten enthäuten, entkernen und ebenfalls würfeln.

4. Die Eier schälen und grob hacken.

5. Den Katenschinken in feine Würfel schneiden.

6. Die Salatzutaten vermischen und dekorativ anrichten.

7. Für das Dressing die Rinderkraftbrühe, den Estragonessig, die geschälte und feingehackte Zwiebel, den Zitronensaft sowie die geschälten und kleingeschnittenen Kartoffeln im Mixer oder mit dem Pürierstab pürieren.

8. Das Dressing mit Salz, Pfeffer, Cayennepfeffer und Zucker kräftig abschmecken und die verlesenen, gewaschenen und feingeschnittenen Kräuter untermischen.

9. Das Traubenkernöl tropfenweise einrühren. Nochmals kräftig abschmecken und den Salat damit anmachen, ausgarnieren und servieren.

FÜR 4 PERSONEN:
800 g festkochende Kartoffeln
1EL Kümmel
Salzwasser

AUSSERDEM
1 Zwiebel
2 säuerliche Äpfel
Saft von 1 Zitrone
2 Essiggurken
1/8 l Gemüsebrühe
2–3 EL Obstessig

FÜR DAS DRESSING
1 1/2 Becher Sahnedickmilch
1–2 EL mittelscharfen Senf
Salz, Pfeffer aus der Mühle
1 Prise Zucker
1 Bund Schnittlauch

Kartoffelsalat „Leichte Art"

1. Die Kartoffeln unter fließendem Wasser waschen, gut abtropfen lassen, und mit dem Kümmel in einen Topf geben.

2. Das Salzwasser angießen und die Kartoffeln darin bißfest garen.

3. Die Kartoffeln abgießen, leicht erkalten lassen, pellen, in Scheiben schneiden und in eine Schüssel geben.

4. Die Zwiebel schälen und fein hacken. Die Äpfel schälen, entkernen, in feine Würfel schneiden und mit Zitronensaft beträufeln.

5. Die Essiggurken fein würfeln und mit den restlichen Zutaten vorsichtig unter die Kartoffeln heben.

6. Die Gemüsebrühe mit dem Obstessig zum Kochen bringen, heiß über die Kartoffeln gießen und erkalten lassen.

7. Für das Dressing die Sahnedickmilch mit dem Senf in einer Schüssel glattrühren, mit Salz, Pfeffer, und Zucker kräftig abschmecken.

8. Den Salat damit anmachen, nochmals abschmecken, anrichten und mit frisch geschnittenem Schnittlauch bestreut servieren.

FÜR 4 PERSONEN:
1 kg Kartoffeln
Salzwasser
1 EL Kümmel
2 Tassen Gemüse- oder Fleischbrühe
1/2 Tasse Kräuteressig
3–4 EL Distelöl
1 Salatgurke
Salz
Pfeffer aus der Mühle
1 Prise Cayennepfeffer
2 Tassen gemischte Sprossen oder Keimlinge

Kartoffelsalat Biofarm

1. Die Kartoffeln unter fließendem Wasser waschen, mit der Bürste abbürsten und in einen Topf geben.

2. Das Salzwasser angießen, den Kümmel dazugeben und die Kartoffeln in 20 Minuten garen.

3. Die Kartoffeln abgießen, kurz erkalten lassen, pellen, in Scheiben schneiden und in eine Schüssel geben.

4. Die Gemüsebrühe mit dem Obstessig und dem Salatöl in einen Topf geben und zum Kochen bringen.

5. Die geputzte Salatgurke halbieren, mit einem Teelöffel das Kerngehäuse herauslösen und die Gurke in Würfel oder Scheiben schneiden.

6. Die Gurken zum Dressing geben und das Ganze mit Salz, Pfeffer, Cayennepfeffer und Zucker kräftig abschmecken.

7. Den Kartoffelsalat mit dem Dressing überziehen, vorsichtig durchmischen und 10 Minuten ziehen lassen.

8. Den Kartoffelsalat nochmals abschmecken. Die verlesenen, gewaschenen und gut abgetropften Sprossen oder Keimlinge unter den Salat heben.
Das Ganze anrichten, ausgarnieren und sofort servieren.

FÜR 4 PERSONEN:
150 g Remoulade
150 g Kefir
Saft von 1 Zitrone
1 Bund Dill
Salz
Pfeffer aus der Mühle
1 Prise Zucker

Dill-Remouladen-Sauce

1. Die Remoulade mit dem Kefir und dem Zitronensaft in eine Schüssel geben und glattrühren.

2. Den verlesenen, gewaschenen und feingehackten Dill unter das Dressing ziehen.

3. Das Ganze mit Salz, Pfeffer und Zucker kräftig abschmecken und unter den vorbereiteten Kartoffelsalat heben.

4. Den Salat kurz durchziehen lassen. Nochmals abschmecken, anrichten, ausgarnieren und servieren.

FÜR 4 PERSONEN:
2 Becher Sahnedickmilch
3-4 EL mittelscharfen Senf
Saft von 1 Zitrone
Salz
Pfeffer aus der Mühle
1-2 EL Currypulver
1 Prise Zucker

Senf-Dressing

1. Die Sahnedickmilch mit dem Senf und dem Zitronensaft in eine Schüssel geben und glattrühren.

2. Das Dressing mit Salz, Pfeffer, Curry und Zucker kräftig abschmecken.

3. Das Dressing unter den vorbereiteten Kartoffelsalat ziehen und 10 Minuten ruhen lassen.

4. Den Kartoffelsalat nochmals abschmecken. Anrichten, ausgarnieren und servieren.

FÜR 4 PERSONEN:
800 g festkochende Kartoffeln
1 EL Kümmel
Salzwasser

AUSSERDEM
1 kleine Salatgurke
1 Zwiebel
1/8 l Gemüse- oder Fleischbrühe
1/2 Tasse Weißweinessig
3–4 El Obstessig
Salz
Pfeffer aus der Mühle
1 Prise Zucker
2 Kästchen Kresse

FÜR DAS SENFDRESSING
1Becher Sahnedickmilch
Saft von 1 Zitrone
1–2 EL mittelscharfen Senf
1 Prise Cayennefeffer

Kartoffelsalat mit Kresse

1. Die Kartoffeln unter fließendem Wasser abwaschen, gut abtropfen lassen und mit dem Kümmel in einen Topf geben.

2. Das Salzwasser angießen, die Kartoffeln bißfest garen und anschließend abgießen.

3. Die Kartoffeln leicht erkalten lassen, pellen, in feine Scheiben schneiden und in eine Schüssel geben.

4. Die Salatgurke putzen, waschen, in feine Scheiben schneiden, mit der geschälten und feingehackten Zwiebel unter die Kartoffeln heben.

5. Die Gemüse- oder Fleischbrühe mit dem Weißwein- und dem Obstessig in einen Topf geben und zum Kochen bringen. Mit Salz, Pfeffer und Zucker abschmecken und das Dressing heiß über den Kartoffelsalat verteilen.

6. Den Kartoffelsalat erkalten lassen und die verlesene, gewaschene und feingehackte Kresse unterheben.

7. Die Sahnedickmilch mit dem Zitronensaft und dem Senf in eine Schüssel geben und glattrühren.

8. Das Dressing mit Salz, Pfeffer, Zucker und Cayennepfeffer kräftig abschmecken und den Kartoffelsalat damit anmachen.

9. Den Kartoffelsalat anrichten, ausgarnieren und servieren.

FÜR 4 PERSONEN:
1 kg Kartoffeln
Salzwasser
1 EL Kümmel
2 Avocadofrüchte
Saft von 2 Zitronen
1 Tasse Gemüsebrühe
4 EL Sojaöl
Salz
Pfeffer aus der Mühle
1 Prise Muskat
1 Prise Cayennepfeffer
einige Tropfen Worcestersauce
2 Schalotten
1 Kästchen Kresse
400 g Räucherlachs

Feiner Kartoffelsalat mit Lachs

1. Die Kartoffeln unter fließendem Wasser waschen, abbürsten und in einen Topf geben.

2. Das Salzwasser angießen, den Kümmel dazugeben und die Kartoffeln zugedeckt in 20 Minuten garen.

3. Die Kartoffeln abgießen, pellen, in Scheiben schneiden und in eine Schüssel geben.

4. Die Avocados dünn schälen, halbieren, das Kerngehäuse herausnehmen und das Fruchtfleisch kleinschneiden.

5. Das Avocadofruchtfleisch mit dem Zitronensaft und der Gemüsebrühe im Mixer oder mit dem Pürierstab pürieren.

6. Das Sojaöl tropfenweise einrühren und das Ganze mit Salz, Pfeffer, Muskat, Cayennepfeffer und Worcestersauce kräftig abschmecken.

7. Die geschälten und feingehackten Schalotten mit der verlesenen, gewaschenen und feingehackten Kresse unter das Dressing rühren.

8. Den Kartoffelsalat mit dem Dressing anmachen. Den in Streifen geschnittenen Räucherlachs unterheben. Das Ganze nochmals abschmecken, anrichten, ausgarnieren und servieren.

FÜR 4 PERSONEN:
800 g Kartoffeln
Salzwasser
1 EL Kümmel
1 EL Wacholderbeeren
1EL Pfefferkörner
4 EL Olivenöl
100 g durchwachsenen geräucherten Speck
2 Zwiebeln
2 Tassen Fleisch- oder Gemüsebrühe
1/2 Tasse Obstessig
Salz
Pfeffer aus der Mühle
1 Prise Zucker
1 Bund Schnittlauch

Speckkartoffel-Salat

1. Die Kartoffeln unter fließendem Wasser abwaschen und abtropfen lassen.

2. Die Kartoffeln und die Gewürze in einen Topf mit Salzwasser geben und garen.

3. Die Kartoffeln abgießen, leicht erkalten lassen, pellen, in Scheiben schneiden und in eine Schüssel geben.

4. Das Olivenöl in einer Pfanne erhitzen und den in feine Würfel geschnittenen Speck darin auslassen.

5. Die in feine Würfel geschnittenen Zwiebeln dazugeben und glasig schwitzen.

6. Die Fleisch- oder Gemüsebrühe und den Obstessig angießen und einmal aufkochen lassen. Mit Salz, Pfeffer und Zucker kräftig abschmecken.

7. Das Dressing über den Kartoffelsalat verteilen und alles gut miteinander vermischen.

8. Den Kartoffelsalat 10 Minuten ziehen lassen, nochmals abschmecken, anrichten und servieren.

Kartoffelsalat mit Sprossen

FÜR 4 PERSONEN:
1 kg Kartoffeln
Salzwasser
4 Eier
1/2 l Gemüsebrühe
1/21 Tasse Kräuteressig
Salz
Pfeffer aus der Mühle
1 Bund Frühlingszwiebeln
1 Bund Radieschen
50 g Alfalfa-Sprossen
3–4 EL Sonnenblumenkerne

FÜR DAS DRESSING:
300 g saure Sahne
2 EL mittelscharfen Senf
Saft von 1 Zitrone
Salz
Pfeffer aus der Mühle
1 Prise Zucker
1 Prise Cayennepfeffer
einige Salatblätter

1. Die Kartoffeln waschen, in einen Topf , mit Salzwasser angießen und in 25 Minuten garen.

2. Die Eier in etwa 8 Minuten hartkochen.

3. Die Kartoffeln und die Eier abgießen, abschrecken, schälen und auskühlen lassen.

4. Die Kartoffeln in Scheiben schneiden. Die Gemüsebrühe mit dem Kräuteressig in einen Topf geben und zum Kochen bringen.

5. Die Brühe mit Salz und Pfeffer abschmecken, über die Kartoffeln gießen und 30 Minuten ziehen lassen.

6. Die Frühlingszwiebeln putzen und in Scheiben schneiden. Die Radieschen putzen und ebenfalls in Scheiben schneiden.

7. Die Sprossen verlesen, waschen, gut abtropfen lassen.

8. Die Sonnenblumenkerne in einer trockenen Pfanne rösten.

9. Die saure Sahne mit dem Senf glattrühren, mit Zitronensaft, Salz, Pfeffer, Zucker und Cayennepfeffer abschmecken.

10. Den Lauch, die Radieschen, die Sprossen und die Kartoffeln miteinander vermischen und die Sahnesauce untermischen.

11. Die Salatblätter anrichten, den Salat gleichmäßig darauf verteilen, die halbierten Eier darauflegen und das Ganze mit den Sonnenblumenkernen bestreuen, ausgarnieren und servieren.

Deftiger Bauernsalat

FÜR 4 PERSONEN:
250 g gekochte Kartoffeln
250 g Salami
1 Zwiebel
2 Tomaten
1 kleine Dose Mais
1 kleine Dose Erbsen
1 kleine Dose Kidney Beans

FÜR DAS DRESSING:
1 Tasse Mayonnaise
1 Becher Joghurt
1/2 Tasse Tomaten-Ketchup
etwas Obstessig
Salz
Pfeffer aus der Mühle
1 TL Paprikapulver
1 Prise Zucker
1 Bund Petersilie

1. Die Kartoffeln schälen und in Würfel schneiden.

2. Die Salami würfeln. Die Zwiebel schälen und fein hacken.

3. Die Tomaten enthäuten, entkernen und in Würfel schneiden.

4. Den Mais und die Erbsen sowie die Kidney Beans gut abtropfen lassen.

5. Die Salatzutaten in eine Schüssel geben und vorsichtig miteinander vermischen.

6. Für das Dressing die Mayonnaise mit dem Joghurt und dem Tomaten-Ketchup glattrühren.

7. Mit Obstessig, Salz, Pfeffer, Paprikapulver und Zucker kräftig abschmecken und den Salat damit anmachen.

8. Den Salat dekorativ anrichten. Mit verlesener, gewaschener und feingehackter Petersilie bestreuen, ausgarnieren und servieren.

FÜR 4 PERSONEN:
800 g Kartoffeln
200 g Heringsfilet nach Matjesart
1/4 l Buttermilch
1 Bund Radieschen

FÜR DAS DRESSING:
1–2 Knoblauchzehen
1 TL Salz
1 Becher Joghurt
1/2 Becher saure Sahne
1 Schuß Sahne
Salz
Pfeffer aus der Mühle
1 Prise Cayennepfeffer
1 Prise Zucker
1 Bund Schnittlauch

Kartoffelsalat mit Matjes

1. Die Kartoffeln waschen, in einen Topf geben, Salzwasser angießen und die Kartoffeln in 20–25 Minuten bißfest garen.

2. Die Kartoffeln herausnehmen, abschrecken, pellen, vollständig erkalten lassen und anschließend in Scheiben schneiden.

3. Die Matjesfilets in 1/2 cm breite Streifen schneiden, in eine Schüssel geben und die Buttermilch angießen. Die Matjesfilets darin 10–15 Minuten ziehen lassen.

4. Die Radieschen putzen und in Scheiben schneiden.

5. Für das Dressing die Knoblauchzehen schälen, mit Salz zu einer Paste zerreiben, mit dem Joghurt, dem Sauerrahm und der Sahne glattrühren.

6. Das Dressing mit Salz, Pfeffer, Cayennepfeffer und Zucker kräftig abschmecken.

7. Die Kartoffeln mit den gut abgetropften Matjes und den Radieschen vermischen und mit dem Dressing anmachen.

8. Den Salat nochmals abschmecken, anrichten, ausgarnieren und mit frisch geschnittenem Schnittlauch bestreut servieren.

9. Den Salat können Sie auch sehr gut mit einem fertigen Sauerrahm-Dressing mit Knoblauch anmachen.

FÜR 4 PERSONEN:
1 kg Salatkartoffeln
Salzwasser
200 ml Gemüsebrühe
1/2 Tasse Obstessig
1/2 Tasse Olivenöl
1–2 EL mittelscharfen Senf
200 g Frischkäse „leicht"
Salz
Pfeffer aus der Mühle
1 Bund Brunnenkresse
200 g Räucherlachs

Kartoffelsalat mit Frischkäse

1. Die Kartoffeln waschen und im Dämpfer oder in einem Topf mit Salzwasser garen.

2. Die Kartoffeln abschrecken, pellen, erkalten lassen, in Scheiben oder Würfel schneiden und in eine Schüssel geben.

3. Für die Marinade die Gemüse oder Fleischbrühe mit dem Essig, dem Olivenöl und dem Senf sowie dem Frischkäse verrühren. Mit Salz und Pfeffer kräftig würzen.

4. Die Brunnenkresse verlesen, waschen, gut abtropfen lassen. Den Lachs in 1 cm breite und etwa 5 cm lange Streifen schneiden.

5. Die Brunnenkresse und den Lachs unter die Kartoffeln heben, mit der Frischkäsemarinade anmachen, anrichten, ausgarnieren und servieren.

FÜR 4 PERSONEN:
500 g Kartoffeln
Salzwasser
400 g Jagdwurst
je 1 rote und grüne Paprikaschote
1 Zwiebel
2 Stangen Staudensellerie
1/4 l Gemüsebrühe
4 Portionen Salatsauce mit Joghurt
1 Bund Schnittlauch

Kartoffel–Wurstsalat

1. Die Kartoffeln waschen, in einen Topf geben, Salzwasser angießen und in 20–25 Minuten garen. Anschließend herausnehmen, abschrecken, pellen, vollständig erkalten lassen und schließlich in Scheiben schneiden.

2. Die Jagdwurst enthäuten, in hauchdünne Scheiben schneiden und diese vierteln.

3. Die Paprikaschoten halbieren, entkernen, waschen, gut abtropfen lassen und in Streifen schneiden.

4. Die Zwiebel schälen und fein hacken.

5. Den Staudensellerie putzen, in feine Stifte schneiden und diese in der Gemüsebrühe blanchieren, herausnehmen und gut abtropfen lassen.

6. Die Salatzutaten vorsichtig miteinander vermischen und mit der Salatsauce mit Joghurt anmachen.

7. Den Salat nochmals abschmecken, anrichten und mit frisch geschnittenem Schnittlauch bestreut servieren

Armins Kartoffelsalat

FÜR 4 PERSONEN:
600 g Pellkartoffeln
1–2 EL Olivenöl
1 Knoblauchzehe
2 Zwiebeln
1 Bund Frühlingszwiebeln
3 Paar Wiener Würstchen
1 Salatgurke
3–4 Tomaten
1 Tasse Gemüsebrühe
1/2 Tasse Essig
Salz
Pfeffer aus der Mühle
1 Prise Cayennepfeffer
1 Prise Kümmelpulver
1 Bund Schnittlauch
1 Bund Petersilie

1. Die noch warmen Pellkartoffeln schälen und in Scheiben schneiden.

2. Das Olivenöl in einer Pfanne erhitzen. Die Knoblauchzehe und die Zwiebel schälen, fein hacken, ins Öl geben und kurz anschwitzen.

3. Die Frühlingszwiebeln putzen, waschen, in Scheiben schneiden. Mit den in Scheiben geschnittenen Würstchen zu den Zwiebeln geben und kurz mitschwitzen.

4. Die Salatgurke putzen, in dünne Scheiben schneiden. Die Tomaten enthäuten, entkernen und würfeln.

5. Tomaten, Salatgurken und die Würstchenmasse zu den Kartoffeln geben und alles vorsichtig miteinander vermischen.

6. Die Gemüsebrühe in die Pfanne geben, den Essig dazugeben und erwärmen.

7. Mit Salz, Pfeffer, Cayennepfeffer und Kümmel kräftig würzen. Die verlesenen, gewaschenen und feingehackten bzw. geschnittenen Kräuter untermischen und den Salat damit anmachen.

8. Den Kartoffelsalat mindestens 20 Minuten ruhen lassen. Anschließend nochmals abschmecken, anrichten, ausgarnieren und servieren.

FÜR 4 PERSONEN:
500 g gekochte Kartoffeln
1/2 Tasse Olivenöl
50 g durchwachsenen geräucherten Speck
1 Zwiebel
100 g Karotten
100 g Sellerie
1 Tasse Gemüse- oder Fleischbrühe
1/2 Tasse Obstessig
2 EL mittelscharfen Senf
2 Paar Wiener Würstchen
1 Bund Radieschen
Salz
weißen Pfeffer aus der Mühle
1 Bund Schnittlauch
1 Bund Petersilie

Peterchens Kartoffelsalat

1. Die Kartoffeln schälen, würfeln und in eine Schüssel geben.

2. Das Olivenöl in einer Pfanne erhitzen und den in feine Würfel geschnittenen Speck darin auslassen.

3. Die geschälte und feingehackte Zwiebel dazugeben und kurz mitschwitzen.

4. Die Karotten und den Sellerie putzen, in feine Würfel schneiden, zu den Speckzwiebeln geben und ebenfalls mitschwitzen.

5. Mit der Gemüsebrühe angießen und bei mäßiger Hitze 4–5 Minuten dünsten.

6. Den Obstessig und den Senf unterrühren und die in Scheiben geschnittenen Wiener Würstchen dazugeben.

7. Das Ganze warm unter die Kartoffeln heben.

8. Die geputzten und gewaschenen Radieschen in Scheiben schneiden, unter den Salat heben und das Ganze mit Salz und Pfeffer kräftig würzen.

9. Die verlesenen, gewaschenen und feingeschnittenen bzw. gehackten Kräuter unter den Salat heben, anrichten und servieren.

FÜR 4 PERSONEN:
750 g frische Pellkartoffeln
500 g Broccoliröschen
1/4 l Gemüsebrühe
2 Zwiebeln
1/2 Tasse Weinessig
1/2 –1 Tasse Sojaöl
Salz
Pfeffer aus der Mühle
1 Prise Cayennepfeffer
1 Prise Zucker
250 g Tiefseekrabbenfleisch
Endiviensalatblätter zum Garnieren

Kartoffel–Broccoli–Salat mit Krabben

1. Die frischen Pellkartoffeln noch warm schälen, in Scheiben schneiden und in eine Schüssel geben.

2. Die Broccoliröschen je nach Bedarf kleinschneiden und in der Gemüsebrühe bißfest garen.

3. Die Zwiebeln schälen, fein hacken, zum Broccoli geben und kurz mitgaren.

4. Den Weinessig und das Sojaöl dazugeben und das Ganze mit Salz, Pfeffer, Cayennepfeffer und Zucker kräftig würzen.

5. Vom Feuer nehmen, leicht erkalten lassen und die Krabben unterheben.

6. Den Broccoli, die Krabben und den Sud zum Kartoffelsalat geben. Vorsichtig vermischen und 10–15 Minuten ziehen lassen.

7. Den Kartoffelsalat nochmals kräftig abschmecken. Die geputzten, gewaschenen, gut abgetropften Endiviensalatblätter anrichten. Den Salat gleichmäßig darauf verteilen. Ausgarnieren und sofort servieren.

FÜR 4 PERSONEN:
800 g Kartoffeln
1 Zwiebel
2 Gewürzgurken
1 Röhrchen Kapern
1 Becher Joghurt
200 g leichte Mayonnaise
1–2 EL mittelscharfen Senf
Salz
Pfeffer aus der Mühle
1 Prise Zucker
1 Prise Cayennepfeffer
1 Prise Kümmelpulver
1 Bund Schnittlauch
2 Tomaten

Leichter Kartoffelsalat

1. Die Kartoffeln waschen, in einen Topf geben; Salzwasser angießen und die Kartoffeln in 20–25 Minuten garen.

2. Die Kartoffeln abschrecken, pellen und vollständig erkalten lassen.

3. Anschließend in Scheiben oder Würfel schneiden und in eine Schüssel geben.

4. Die Zwiebel schälen und fein hacken, mit den in feine Würfel geschnittenen Gewürzgurken und den gut abgetropften Kapern unter die Kartoffeln heben.

5. Den Joghurt mit der Mayonnaise und dem Senf glattrühren, mit Salz, Pfeffer, Zucker, Cayennepfeffer und Kümmelpulver kräftig würzen und den Salat damit anmachen.

6. Den Salat nochmals abschmecken, anrichten, mit dem frisch geschnittenen Schnittlauch bestreuen, mit Tomatenachteln ausgarnieren und servieren.

FÜR 4 PERSONEN:
750 g frische Pellkartoffeln
1/4 l Gemüsebrühe
1/2 –1 Tasse Weinessig
1 Bund Frühlingszwiebeln
1 mittelgroßer Zucchino
1 kleine Salatgurke
4 Tomaten
2 hartgekochte Eier
1 Tasse Olivenöl
Salz
Pfeffer aus der Mühle
1 Prise Cayennepfeffer
1 Prise Zucker
1 Bund Schnittlauch
1 Bund Petersilie

Bunter Kartoffelsalat

1. Die frischen Pellkartoffeln noch warm pellen, in Scheiben schneiden und in eine Schüssel geben.

2. Die Zwiebel schälen, fein hacken, mit der Gemüsebrühe in einen Topf geben und zum Kochen bringen.

3. Den Weinessig unterrühren und die geputzten und kleingeschnittenen Frühlingszwiebeln dazugeben.

4. Den Zucchino und die Salatgurke putzen, halbieren, in Scheiben oder Würfel schneiden und ebenfalls in den Sud geben.

5. Das Gemüse mit dem Sud vorsichtig unter die Kartoffeln heben.

6. Die enthäuteten, entkernten und in Würfel geschnittenen Tomaten mit den gepellten und geachtelten Eiern ebenfalls unter den Salat heben.

7. Das Olivenöl gleichmäßig darauf verteilen, untermischen und das Ganze mit Salz, Pfeffer, Cayennepfeffer und Zucker kräftig würzen.

8. Die verlesenen, gewaschenen und kleingeschnittenen Kräuter ebenfalls unterheben. Das Ganze nochmals abschmecken, anrichten, ausgarnieren und sofort servieren.

Aufläufe und Gratins

Käse–Kartoffel–Soufflé

FÜR 4 PERSONEN:
3/8 l Wasser
1 Prise Salz
1/8 l kalte Milch
1 Päckchen Kartoffel-Püreepulver
1-2 EL Butter oder Margarine
1 Schale Kräuter-Käse
4 Eier
Salz
Pfeffer aus der Mühle
je 1 Prise Muskat, Paprikapulver
AUSSERDEM:
Semmelbrösel für die Auflaufform

1. Das Wasser mit der Prise Salz zum kochen bringen, vom Feuer nehmen und die kalte Milch dazugeben.

2. Die Püreeflocken einstreuen, die Butter oder Margarine und den Kräuter-Kase unterrühren.

3. Die Eier trennen. Die Eigelbe unter die Kartoffelmasse heben, das Ganze mit Salz, Pfeffer, Muskat und Paprikapulver kräftig abschmecken.

4. Die Eiweiße mit etwas Wasser steif schlagen und vorsichtig unter die Masse heben.

5. Die Käse-Kartoffelmasse in eine gebutterte und ausgebröselte Auflaufform geben und im 180-200° C vorgeheizten Backofen 30-35 Minuten goldbelb backen.

6. Das Käse-Kartoffel-Soufflé herausnehmen, anrichten, ausgarnieren und sofort servieren.

Rosenkohlauflauf mit Kasseler

FÜR 4 PERSONEN:
300 g Kartoffeln
300 g Rosenkohlröschen
1/4 l Gemüsebrühe
1-2 EL Butter oder Margarine
1 Zwiebel
150 g Kasseler ohne Knochen
1 Schuß Weißwein
AUSSERDEM:
2 Becher Sahne-Dickmilch, 5 Eier
Salz
Pfeffer aus der Mühle
je 1 Prise Muskat, Kümmelpulver und Cayennepfeffer
2-3 EL Weizenmehl
50 g geriebenen Parmesankäse
1 Bund Zitronenmelisse

1. Die Kartoffeln waschen, schälen und in Würfel schneiden.

2. Die Brühe erhitzen und den Rosenkohl darin bißfest garen, herausnehmen und abschrecken.

3. Die Butter oder Margarine erhitzen und die geschälte und feingehackte Zwiebel darin anschwitzen.

4. Das Kasseler würfeln, zur Zwiebel geben und kurz mitbraten.

5. Mit Weißwein ablöschen, die Kartoffeln und die Rosenkohlröschen dazugeben, durz durchschwenken und in eine ausgefettete Auflaufform geben.

6. Die Sahne-Dickmilch mit den Eiern in eine Schüssel geben und gut verschlagen.

7. Mit Salz, Pfeffer, Muskat, Kümmel und Cayennepfeffer kräftig abschmecken.

8. Das Mehl mit dem geriebenen Käse untermischen und auf dem Rosenkohlgemüse verteilen.

9. In den auf 180-200° C vorgeheizten Backofen schieben und 20-25 Minuten backen. Herausnehmen, anrichten und mit der geschnittenen Melisse bestreut servieren.

FÜR 4 PERSONEN:
500 g Blattspinat
1/4 l Gemüsebrühe
1 Zwiebel
2–3 EL Butter oder Margarine
1 Knoblauchzehe
1/2 TL Salz
Pfeffer aus der Mühle
1 Prise Muskat
500 g gekochte Kartoffeln
200 g gekochten Schinken
2 Becher Sahnedickmilch
125 g geriebenen Emmentaler
4 Eier

Spinat–Kartoffelauflauf

1. Den Blattspinat, verlesen, waschen, gut abtropfen lassen.

2. Die Gemüsebrühe erhitzen und den Blattspinat darin kurz blanchieren.

3. In der Zwischenzeit die Zwiebel schälen, fein hacken, in der Butter oder Margarine in einer Pfanne glasig schwitzen.

4. Die mit Salz zerriebene Knoblauchzehe dazugeben und kurz mitschwitzen.

5. Den Blattspinat zu den Zwiebeln geben und anschwitzen. Mit Salz, Pfeffer und Muskat abrunden.

6. Die Kartoffeln schälen, in Scheiben, den Schinken in Würfel oder Streifen schneiden.

7. Eine Auflaufform mit etwas Butter oder Margarine ausfetten und die Kartoffeln mit dem Spinat und dem Schinken schichtweise einfüllen.

8. Die Sahnedickmilch glattrühren. Den geriebenen Emmentaler und die Eier darunterrühren.

9. Das Ganze nochmals mit Salz, Pfeffer und Muskat abschmecken und gleichmäßig auf dem Auflauf verteilen.

10. Den Spinat-Kartoffelauflauf im auf 180–200 °C vorgeheizten Backofen 10–15 Minuten backen. Herausnehmen, anrichten, ausgarnieren und servieren.

Französisches Käsegratin

FÜR 4 PERSONEN:
1 Zucchino
150 g Egerlinge
Saft von 1 Zitrone
600 g gekochte Kartoffeln
200 g Frischkäse mit französischen Kräutern
1 Becher Sahne
1 Ei
75 g geriebenen Parmesankäse
Salz
Pfeffer aus der Mühle
je 1 Prise Muskat und Cayennepfeffer
Butter oder Margarine zum Ausfetten
Semmelbrösel zum Bestreuen

1. Den Zucchino putzen, waschen und in Scheiben schneiden.

2. Die Egerlinge putzen, in Scheiben schneiden und mit Zitronensaft beträufeln.

3. Die Kartoffeln ebenfalls in Scheiben schneiden.

4. Den Frischkäse mit französischen Kräutern, mit der Sahne, dem Ei und dem Parmesankäse in einer Schüssel glattrühren.

5. Mit Salz, Pfeffer, Muskat und Cayennepfeffer kräftig abschmecken.

6. Eine Auflaufform mit Butter oder Margarine ausfetten und mit Semmelbröseln bestreuen.

7. Das Gemüse dekorativ schichtweise hineinlegen und das Ganze mit der Käse-Sahne-Creme überziehen.

8. Das Französische Käsegratin im auf 180–200 °C vorgeheizten Backofen 20–25 Minuten goldbraun backen. Herausnehmen, anrichten, ausgarnieren und servieren.

Béchamelsauce

FÜR 4 PERSONEN:
50 g Butter
50 g Vollkornmehl
3/8 l Milch, 1/8 l Sahne
Salz
Pfeffer aus der Mühle
1 Prise Muskat
einige Tropfen Zitronensaft
50 g ger. Parmesan

1. Die Butter in einem Topf erhitzen und das Mehl einrühren.

2. Die Milch und die Sahne kalt dazugeben und mit dem Schneebesen glattrühren.

3. Unter ständigem Rühren so lange kochen lassen, bis eine sämige Sauce entstanden ist.

4. Die Sauce durch ein Sieb passieren, nochmals erhitzen, mit Salz, Pfeffer, Muskat und Zitronensaft abschmecken und den geriebenen Parmesankäse einrühren. Zum weiteren Gebrauch bereitstellen.

FÜR 4 PERSONEN:
300 g Kartoffeln
Salzwasser
2 Roggenbrötchen
1 Tasse heiße Milch
4 Eier
200 g Broccoliröschen
Salzwasser
100 g gekochten Schinken
125 g Butterschmalz
Salz
Pfeffer aus der Mühle
1 Prise Muskatpulver
1 TL Majoran
1/2 Bund Petersilie

AUSSERDEM:
Butterschmalz zum Ausfetten
2–3 EL Butterschmalz
3–4 EL Semmelbrösel

Kartoffel–Broccoli–Auflauf

1. Die Kartoffeln waschen, in Salzwasser bißfest garen, herausnehmen, kurz auskühlen lassen, schälen und durch die Kartoffelpresse treiben.

2. Die Brötchen in Würfel schneiden, in eine Schüssel geben und mit der heißen Milch übergießen.

3. Die Eier trennen, die Eiweiße steif schlagen.

4. Den Broccoli verlesen, waschen, gut abtropfen lassen und in Röschen schneiden, in Salzwasser bißfest blanchieren.

5. Den Schinken in Würfel oder Rauten schneiden.

6. Das Butterschmalz schaumig rühren, die Eigelbe darunterschlagen, die Brötchen, die Broccoliröschen, den Schinken und die Kartoffeln unterziehen.

7. Zum Schluß das steifgeschlagene Eiweiß unterheben und das Ganze mit Salz, Pfeffer, Muskat und Majoran abrunden.

8. Die gehackte Petersilie untermischen, eine Auflaufform mit Butterschmalz ausfetten und die Masse einfüllen.

9. Im auf 180–200 °C vorgeheizten Backofen 35–40 Minuten garen.

10. Das Butterschmalz in einer Pfanne erhitzen und die Semmelbrösel darin bräunen. Kurz vor Garende den Auflauf damit bestreichen.

11. Den Auflauf herausnehmen, anrichten, ausgarnieren und servieren.

FÜR 4 PERSONEN:
500 g Kartoffeln
300 g säuerliche Äpfel
Saft von 2 Zitronen
4 Tomaten
Butter oder Margarine
2-3 EL Semmelbrösel
200 g Frischkäse mit französischen Kräutern
1/2 Becher Sahne
1 Ei
Salz
Pfeffer aus der Mühle
1 Prise Muskat
1 Tasse geröstete Sonnenblumenkerne
1 Tasse gemischte, gehackte Kräuter

Kartoffel–Apfel–Gratin

1. Die Kartoffeln waschen, in Salzwasser bißfest garen, herausnehmen, leicht erkalten lassen, pellen und in dünne Scheiben schneiden.

2. Die Äpfel schälen, entkernen, in Scheiben schneiden und diese mit Zitronensaft beträufeln.

3. Die Tomaten waschen, den Strunk herausschneiden und anschließend das Fruchtfleisch in Scheiben schneiden.

4. Eine Auflaufform mit Butter oder Margarine ausfetten, mit Semmelbröseln bestreuen. Die Kartoffeln, Äpfel und Tomaten hineinschichten.

5. Den Frischkäse mit französischen Kräutern mit der Sahne und dem Ei verrühren, mit Salz, Pfeffer und Muskat kräftig abschmecken und auf dem Auflauf verteilen.

6. Den Auflauf im auf 180–200 °C vorgeheizten Backofen 15–20 Minuten garen.

7. 5 Minuten vor Garende den Auflauf mit Sonnenblumenkernen bestreuen.

8. Nach Ende der Garzeit das Kartoffel-Apfel-Gratin herausnehmen, anrichten, ausgarnieren und mit den gehackten Kräutern bestreut servieren.

Kartoffelauflauf

FÜR 4 PERSONEN:
100 g durchwachsenen geräucherten Speck
500 g Kartoffeln
4–6 Frühlingszwiebeln
2–3 Karotten
2 Becher Joghurt
2 Eier
1/2 l Milch
1/8 l Gemüsebrühe
Salz
Pfeffer aus der Mühle
1 Prise Muskat
1 Prise Cayennepfeffer
1 Msp. Kümmel
1 Bund Schnittlauch
6 gehäufte EL klassische helle Mehlschwitze
1–2 EL Butter oder Margarine
100 g geriebenen Emmentaler

1. Den Speck in feine Würfel schneiden und in eine Schüssel geben.

2. Die Kartoffeln schälen, in feine Scheiben schneiden, die Frühlingszwiebeln putzen und in Ringe schneiden.

3. Die Karotten schälen und grob raspeln.

4. Den Joghurt mit den Eiern, der Milch und der Brühe in eine Schüssel geben und kräftig miteinander verrühren.

5. Das Ganze mit Salz, Pfeffer, Muskat, Cayennepfeffer und Kümmel kräftig abschmecken und den feingeschnittenen Schnittlauch untermischen.

6. Die klassische Mehlschwitze einrühren, das Gemüse mit dem Speck vermischen, in einer ausgefetteten Auflaufform mit der Flüssigkeit übergießen.

7. Mit Käse bestreuen und im auf 180-200 °C vorgeheizten Backofen 40-50 Minuten garen.

8. Nach Ende der Garzeit den Kartoffelauflauf herausnehmen, ausgarnieren und servieren.

Anna-Kartoffeln

FÜR 4 PERSONEN:
1 kg mehlig kochende Kartoffeln
100 g Butterschmalz
Salz
Paprikapulver

1. Die geschälten Kartoffeln waschen, gut abtropfen lassen und in 1-2 cm dicke Scheiben schneiden.

2. In kaltem Wasser zweimal waschen, dann in einem Küchentuch abtropfen lassen und trockentupfen.

3. Einen runden, dickwandigen Bratentopf mit Butterschmalz einstreichen.

4. Die Kartoffelscheiben auf den Topfboden legen, dabei einen Kranz von sich dachziegelartig überlappenden Scheiben legen.

5. Den nächsten Kranz so legen, daß er auch die Scheiben des ersten etwas überlappt .

6. Die Kartoffeln dünn mit Salz und Paprika bestreuen.

7. Die restlichen Kartoffelscheiben lagenweise darüber einschichten. Jede Lage mit Salz und Paprika würzen und mit etwas geschmolzenem Butterschmalz beträufeln.

8. Die Kartoffeln im gut verschlossenen Topf auf dem Herd kurz erhitzen und anschließend im auf 250 °C vorgeheizten Backofen 35-40 Minuten backen.

9. Die Kartoffeln nach Ende der Garzeit auf eine Platte stürzen, ausgarnieren und sofort servieren.

Rheinischer Kartoffelkuchen

FÜR 4 PERSONEN:
1 kg mehlige Kartoffeln
4 Zwiebeln
250 g durchwachsenen geräucherten Speck
2–3 EL Butter oder Margarine
4 Eier
1 Becher Sahne
Salz
Pfeffer aus der Mühle
1 Prise Muskat
1 Prise Cayennepfeffer
Butter oder Margarine zum Ausfetten

1. Die Kartoffeln gründlich waschen, schälen und grob raffeln.

2. Die Zwiebeln schälen und in Scheiben schneiden.

3. Den Speck in feine Würfel schneiden. Die Butter oder Margarine in einer Pfanne erhitzen und den Speck darin auslassen.

4. Die Zwiebeln und die Kartoffeln dazugeben.

5. Die Eier mit der Sahne verschlagen und das Ganze kräftig würzen.

6. Eine Auflaufform mit Butter oder Margarine ausfetten, die Kartoffelmasse einfüllen.

7. Die Eiersahne darauf verteilen und im auf 180–200 °C vorgeheizten Backofen 30–40 Minuten backen.

8. Nach Ende der Garzeit herausnehmen, anrichten, ausgarnieren und servieren.

FÜR 4 PERSONEN:
1 kg Kartoffeln
2 Zwiebeln
2–3 EL Butter oder Margarine
100 g gekochten Schinken
4 hartgekochte Eier
1/2 l Milch
Salz
Pfeffer aus der Mühle
1/2 TL Kümmel
1 Tasso gemischte, gehackte Kräuter
150 g Feta-Käse
1/2 Becher Sahne

Feta-Kartoffelgratin

1. Die Kartoffeln schälen, in feine Scheiben schneiden, unter fließendem Wasser gründlich abwaschen und abtropfen lassen.

2. Die Zwiebel schälen und fein hacken.

3. Eine Auflaufform mit der Butter oder Margarine ausfetten und die Kartoffeln, die Zwiebeln sowie den in Streifen geschnittenen Schinken und die gepellten und in Scheiben geschnittenen Eier darin schichtweise anrichten.

4. Die Milch mit Salz, Pfeffer und Kümmel kräftig abschmecken und die gehackten Kräuter untermischen.

5. Den gewürfelten Feta-Käse und die Sahne einrühren und das Ganze gleichmäßig über die Kartoffelmischung verteilen.

6. Die Schinkenkartoffeln in den auf 180–200 °C vorgeheizten Backofen schieben und 25–30 Minuten garen. Herausnehmen, anrichten, ausgarnieren und servieren.

FÜR 4 PERSONEN:
4 Matjesfilets
1 Tasse Buttermilch
2–3 El Olivenöl
250 g Frühlingszwiebeln
750 g gekochte Kartoffeln
2 Becher Crème fraîche
Salz
Pfeffer aus der Mühle
2-3 El Butter oder Margarine
2-3 EL Semmelbrösel
1 Bund Schnittlauch

Matjes-Kartoffel-Auflauf

1. Die Matjesfilets waschen, gut abtropfen lassen, in eine Schüssel geben, die Buttermilch angießen und im Kühlschrank mindestens 1/2 Stunde ziehen lassen.

2. Für die Zubereitung das Olivenöl in einer Pfanne erhitzen und die geputzten und kleingeschnittenen Lauchzwiebeln darin anschwitzen.

3. Die geschälten Kartoffeln in Würfel schneiden, mit den Zwiebeln vermischen und in eine ausgefettete Auflaufform geben.

4. Die Matjesfilets in Scheiben schneiden und unter den Auflauf geben.

5. Die Crème fraîche mit der Buttermilch verschlagen, mit Salz und Pfeffer kräftig würzen und gleichmäßig auf dem Auflauf verteilen.

6. Einige Butter oder Margarineflöckchen auf den Auflauf setzen und das Ganze mit Semmelbröseln bestreuen.

7. Den Auflauf im auf 180–200 °C vorgeheizten Backofen 10–15 Minuten backen. Herausnehmen, anrichten und mit frisch geschnittenem Schnittlauch bestreut servieren.

FÜR 4 PERSONEN:
2 Zwiebeln
2–3 EL Sojaöl
200 g Grünkern
3/4 l Gemüse- oder Fleischbrühe
750 g Kartoffeln
1 Becher Crème fraîche
4 Eier
50 g geriebenen Parmesankäse
Salz
Pfeffer aus der Mühle
1 Prise Cayennepfeffer
1 Prise Muskat
1/2 Bund Petersilie
1 Glas Rote-Beete-Kugeln
1 Becher Schmand
1/2 Bund Kerbel
einige Tropfen Zitronensaft
einige Tropfen Worcestersauce

Kartoffel-Grünkern-Auflauf

1. Die Zwiebeln schälen und fein hacken. Das Sojaöl in einer Pfanne erhitzen und die Zwiebeln darin glasig schwitzen.

2. Den Grünkern waschen, gut abtropfen lassen, zu den Zwiebeln geben und kurz mitschwitzen.

3. Die Gemüse- oder Fleischbrühe angießen und zum Kochen bringen.

4. Die Kartoffeln schälen, in Würfel oder Scheiben schneiden, zum Grünkern geben und kurz mitgaren.

5. Die Kartoffel-Grünkernmischung in eine Auflaufform geben.

6. Die Crème fraîche mit den Eiern und dem Parmesankäse verschlagen. Mit Salz, Pfeffer, Cayennepfeffer und Muskat kräftig abschmecken.

7. Den Auflauf ebenfalls abschmecken und anschließend die Eiermischung gleichmäßig darauf verteilen.

8. Den Auflauf im auf 180–200 °C vorgeheizten Backofen 20–25 Minuten garen.

9. In der Zwischenzeit die Rote-Beete-Kugeln abtropfen lassen. Den Schmand mit dem gehackten Kerbel und dem Zitronensaft glattrühren.

10. Mit Worcestersauce, Salz und Pfeffer kräftig abschmecken.

11. Den Kartoffel-Grünkern-Auflauf nach Ende der Garzeit herausnehmen, anrichten. Die Rote-Beete-Kugeln dazugeben. Mit dem gewürzten Schmand überziehen. Das Ganze ausgarnieren und sofort servieren.

FÜR 4 PERSONEN:
750 g Kartoffeln
Butter oder Margarine zum Ausfetten
2 Zwiebeln
125 g gekochten Schinken
1 Stange Lauch
250 ml Sahne
125 g geriebenen Emmentaler
Salz
Pfeffer aus der Mühle
1 Prise Cayennepfeffer
1 Prise Muskat
4 hartgekochte Eier
1 Tasse gemischte, gehackte Kräuter

Schinkenkartoffeln mit Eiern

1. Die Kartoffeln schälen und in Scheiben schneiden. Eine Auflaufform ausfetten und die Kartoffeln einschichten.

2. Die Zwiebeln schälen, fein hacken, mit dem in Würfel geschnittenen Schinken und dem geputzten und in Streifen geschnittenen Lauch vermischen.

3. Zwiebeln, Schinken und Lauch gleichmäßig auf dem Auflauf verteilen.

4. Die Sahne mit dem Käse verrühren. Mit Salz, Pfeffer, Cayennepfeffer und Muskat kräftig würzen und gleichmäßig auf den Auflauf geben.

5. Die Eier pellen, in Scheiben schneiden und den Auflauf damit abdecken.

6. Das Ganze im auf 180–200 °C vorgeheizten Backofen 25–30 Minuten garen.

7. Nach Ende der Garzeit den Auflauf herausnehmen, anrichten, mit den gehackten Kräutern bestreuen, ausgarnieren und sofort servieren.

FÜR 4 PERSONEN:
1–2 EL Butter oder Margarine
1 Zwiebel
2 Knoblauchzehen
1 TL Salz
600 g gekochte Kartoffeln
4 Tomaten
1 Zucchino
2 Karotten
Salz
Pfeffer aus der Mühle
2 Becher Sahnedickmilch
125 g geriebenen Emmentaler
3 Eier
1 Prise Cayennepfeffer
1 Prise Muskat

Kartoffel–Gemüsegratin Biohof

1. Die Zwiebel schälen, fein hacken. Die Butter oder Margarine in einer Pfanne erhitzen und die Zwiebeln darin glasig schwitzen.

2. Die Knoblauchzehen mit Salz zu einer Paste zerreiben, zu den Zwiebeln geben und kurz mitschwitzen.

3. Die Kartoffeln schälen, in Würfel oder Scheiben schneiden. Zu den Knoblauchzwiebeln geben und kurz durchschwenken.

4. Die Tomaten enthäuten und in Würfel oder Scheiben schneiden. Den Zucchino putzen und ebenfalls in Würfel oder Scheiben schneiden.

5. Die Karotten dünn schälen und in hauchdünne Scheibchen schneiden.

6. Das Gemüse mit den Kartoffeln in eine ausgefettete Auflaufform schichten.

7. Die Sahnedickmilch mit dem Emmentaler und den Eiern verrühren. Mit Salz, Pfeffer, Cayennepfeffer und Muskat abschmecken.

8. Das Gemüse ebenfalls abschmecken und mit der Dickmilch überziehen.

9. Das Kartoffel-Gemüsegratin im auf 180–200 °C vorgeheizten Backofen 20–25 Minuten backen. Herausnehmen, anrichten, ausgarnieren und servieren.

Kartoffelauflauf mit Gemüse

FÜR 4 PERSONEN:
800 g mehlig kochende Kartoffeln
Salzwasser
300 ml Buttermilch
Salz
Pfeffer aus der Mühle
1 Prise Muskat
Fett zum Ausfetten
1 Bund Frühlingszwiebeln
4 Karotten
4 Eier
100 ml Buttermilch

1. Die Kartoffeln schälen und in Salzwasser garen.

2. Die Kartoffeln herausnehmen, abtropfen lassen und durch die Kartoffelpresse treiben.

3. Die Buttermilch erhitzen, zum Kartoffelpüree geben und alles gut miteinander vermischen.

4. Das Püree mit Salz, Pfeffer und Muskat abrunden und in einen Spritzbeutel füllen.

5. Eine Auflaufform mit Butter oder Margarine ausfetten und das Püree an den Rand spritzen.

6. Die Frühlingszwiebeln, waschen, gut abtropfen und in Streifen schneiden.

7. Die Karotten schälen, in sehr feine Streifen schneiden und in eine Schüssel geben.

8. Die Eier mit der Buttermilch verschlagen, mit Salz, Pfeffer und Muskat abrunden und unter die Gemüsemasse rühren.

9. Die Masse in die Mitte der Auflaufform geben und das Ganze im auf 180–200 °C vorgeheizten Backofen 20–25 Minuten backen, herausnehmen, anrichten, ausgarnieren, servieren.

Kartoffelgnocchi auf Piemonteser Art

FÜR 4 PERSONEN:
1 kg mehlig kochende Kartoffeln
Salzwasser
75 g Butter oder Margarine
Salz
weißen Pfeffer aus der Mühle
1 Prise Muskat
1 Prise Cayennepfeffer
100 g Mehl
2 Eier
1 l Salzwasser
1/2 l Milch
50 g geriebenen Parmesan

1. Die Kartoffeln waschen, gut abtropfen lassen, in einen Topf geben, Salzwasser angießen und zu Pellkartoffeln kochen.

2. Die fertigen Kartoffeln herausnehmen, leicht abkühlen lassen, pellen und durch die Kartoffelpresse treiben.

3. 25 g Butter oder Margarine in die Kartoffelmasse rühren und das Ganze mit Salz, Pfeffer, Muskat und Cayennepfeffer abrunden.

4. Die Masse unter Rühren auf dem Herd etwas abtrocknen lassen und anschließend mit dem Mehl und den Eiern verkneten.

5. Salzwasser und Milch in einen Topf geben und zum Sieden bringen. Das Ganze darf nicht sprudelnd kochen.

6. Mit zwei Teelöffeln vom Teig kleine Nocken abstechen und diese im Salzwasser 6–8 Minuten garziehen lassen.

7. Die Gnocchi herausnehmen, gut abtropfen lassen, auf eine vorgewärmte Platte geben, die restliche zerlassene Butter oder Margarine gleichmäßig darübergießen, mit Parmesan bestreuen, ausgarnieren und servieren.

Kartoffelrösti

FÜR 4 PERSONEN:
1 kg mehlig kochende Kartoffeln
Salzwasser
Salz
weißen Pfeffer aus der Mühle
1 Prise Muskat
2–3 EL Butter oder Margarine
1 Tasse Pflanzenfett

1. Die Kartoffeln gründlich waschen und abbürsten.

2. Reichlich Salzwasser sprudelnd aufkochen lassen und die Kartoffeln einlegen.

3. Das Ganze zum Kochen bringen und die Kartoffeln darin 10 Minuten garen.

4. Anschließend die Kartoffeln abgießen, abschrecken, sofort pellen und über Nacht auskühlen lassen.

5. Die Kartoffeln auf einer Röstireibe oder einer groben Reibe mit tropfenförmigen Öffnungen in Streifchen raffeln.

6. Die Masse mit Salz, Pfeffer und Muskat abrunden und die zerlassene Butter oder Margarine einrühren.

7. Das Pflanzenfett in einer Pfanne erhitzen, portionsweise Kartoffeln in die Pfanne geben, mit einem Spatel oder Bratenwender verteilen und gleichmäßig andrücken.

8. Sobald die Unterseite goldbraun gebraten ist, weiteres Pflanzenfett dazugeben, die Kartoffelmasse wenden und die zweite Seite goldgelb braten.

9. Die Röstis herausnehmen, anrichten und servieren.

FÜR 4 PERSONEN:
80 g Sonnenblumenkerne
150 g mittelalten Gouda
2 Scheiben Vollkornbrot
2–3 EL Butter oder Margarine
1 Zwiebel
500 g Kartoffeln
500 g Kohlrabi
1 Becher Joghurt
1/2 Becher Sahne
2 Eier
Salz
Pfeffer aus der Mühle
1 Prise Curry
1 Prise Muskat
1 Prise Cayennepfeffer
1/2 Bund Petersilie
einige Liebstöckelblätter
Butter oder Margarine zum Ausfetten

Kartoffelgratin mit Sonnenblumenkernen

1. Die Sonnenblumenkerne in einer Pfanne fettfrei goldgelb rösten. 3 EL davon beiseite stellen.

2. Zuerst den Käse und anschließend das Vollkornbrot im Mixer zerkleinern.

3. Die Sonnenblumenkerne und die Brösel mit 4 EL geriebenem Käse vermischen.

4. Die Butter oder Margarine in einem Topf erhitzen und die geschälte und feingehackte Zwiebel darin glasig schwitzen.

5. Die Kartoffeln und die Kohlrabi schälen, in feine Stifte schneiden oder grob raspeln, zu den Zwiebeln geben und kurz mitschwitzen.

6. Den Joghurt mit der Sahne und den Eiern kräftig verrühren, mit Salz, Pfeffer, Curry, Muskat und Cayennepfeffer kräftig abschmecken und die gehackten Kräuter unterziehen.

7. Eine Auflaufform mit Butter oder Margarine ausfetten, die Kartoffelmasse mit dem restlichen Käse vermischen und einfüllen.

8. Die Joghurtsahne darübergießen und das Ganze mit der Sonnenblumen-Bröselmischung abdecken.

9. Die restlichen Sonnenblumenkerne daraufstreuen und den Auflauf im auf 180–200 °C vorgeheizten Backofen 25–30 Minuten knusprig backen.

10. Das Kartoffelgratin mit Sonnenblumenkruste anrichten, ausgarnieren und servieren.

FÜR 4 PERSONEN:
1,2 kg Kartoffeln
Salzwasser
1 EL Kümmel
1 El Majoran
1–2 El Olivenöl
125 g Schinkenspeck
1 Zwiebel
1 Stange Lauch
250 ml Sahne
150 g Frischkäse mit Salami
3 Eier
1 TL Kräuter der Provence
Salz
Pfeffer aus der Mühle
1 Prise Cayennepfeffer
1 Prise Muskat
Butter oder Margarine zum Ausfetten

Kartoffel–Speck–Gratin

1. Die Kartoffeln unter fließendem Wasser waschen, bürsten und in einen Topf geben.

2. Das Salzwasser angießen, den Kümmel und den Majoran dazugeben und die Kartoffeln zugedeckt in 20 Minuten garen.

3. Anschließend herausnehmen, abgießen, pellen und in Würfel oder Scheiben schneiden.

4. Das Olivenöl in einer Pfanne erhitzen und den in feine Würfel geschnittenen Schinkenspeck darin auslassen.

5. Die Zwiebel schälen und fein hacken. Den Lauch putzen, in Streifen schneiden, zum Speck geben und kurz mitschwitzen.

6. Die Kartoffeln mit dem Speckgemüse vermischen und in eine ausgefettete Auflaufform geben.

7. Die Sahne mit dem Frischkäse mit Salami glattrühren. Die Eier kräftig darunterschlagen und das Ganze mit Kräutern der Provence, Salz, Pfeffer, Cayennepfeffer und Muskat abschmecken.

8. Die Frischkäsesahne gleichmäßig auf dem Auflauf verteilen. Einige Butterflöckchen daraufsetzen und das Ganze im auf 180–200 °C vorgeheizten Backofen in 15–20 Minuten backen.
Herausnehmen, anrichten, ausgarnieren und servieren.

Kartoffelauflauf mit Brät

FÜR 4 PERSONEN:
500 g Kartoffeln
1 Zwiebel
1 Stange Lauch
500 g Bratwurstbrät
Salz
Pfeffer aus der Mühle
1 EL Majoran
1 Knoblauchzehe
je 150 g Erbsen und Karotten (TKProdukt)
2–3 EL Butter oder Margarine
1/4 l Gemüsebrühe
1 Bund Schnittlauch

1. Die Kartoffeln waschen, schälen und in Scheiben schneiden.

2. Die Zwiebel schälen und in feine Würfel schneiden.

3. Den Lauch putzen und in feine Streifen schneiden.

4. Das Bratwurstbrät in eine Schüssel geben, verrühren, mit Salz, Pfeffer, Majoran sowie der geschälten und mit Salz zerriebenen Knoblauchzehe würzen.

5. Die Erbsen und Karotten unter das Brät mischen.

6. Die Butter oder Margarine in einer Auflaufform erhitzen, das Gemüse dazugeben und kurz anschwitzen.

7. Das Brät gleichmäßig untermischen und die Gemüsebrühe angießen.

8. Das Ganze nochmals abschmecken und im auf 180–200 °C vorgeheizten Backofen 40–50 Minuten garen.

9. Nach Ende der Garzeit den Kartoffelauflauf herausnehmen, anrichten und mit frisch geschnittenem Schnittlauch bestreut servieren.

Kartoffel–Rosenkohlauflauf

FÜR 4 PERSONEN:
500 g Kartoffeln
500 g Rosenkohl
1 Zwiebel
1 Knoblauchzehe
1–2 EL Butter oder Margarine
1/4 l Gemüsebrühe
Salz
Pfeffer aus der Mühle
1 TL Paprikapulver
1 TL Currypulver
1 Dose geschälte Tomaten
2–3 Paar Regensburger Würstchen
200 g ger. Emmentaler
1/2 Bund Petersilie

1. Die Rosenkohlröschen verlesen, waschen, gut abtropfen lassen und bereitstellen.

2. Die Kartoffeln schälen und in Würfel oder Scheiben schneiden.

3. Die Zwiebel schälen und fein hacken, den Knoblauch schälen und mit Salz zu einer Paste zerreiben.

4. Zwiebeln und Knoblauch mit dem Fett in eine Auflaufform geben und glasig schwitzen.

5. Den Rosenkohl und die Kartoffeln dazugeben, kurz anschwitzen, mit der Gemüsebrühe auffüllen und bei mäßiger Hitze 15 Minuten köcheln lassen.

6. Das Ganze mit Salz, Pfeffer, Paprikapulver und Curry kräftig abschmecken und mit den geschälten Tomaten auffüllen.

7. Die Regensburger Würstchen enthäuten, in Scheiben oder Würfel schneiden und untermischen.

8. Mit dem Käse bestreuen und das Ganze im auf 180–200 °C vorgeheizten Backofen weitere 10–12 Minuten überbacken.

9. Den Auflauf herausnehmen, anrichten, ausgarnieren und mit der gehackten Petersilie bestreut servieren.

Kasseler Kartoffeltopf

FÜR 4 PERSONEN:
500 g Kartoffeln
1/4 l Gemüsebrühe
2-3 EL Butter/Margarine
1 Zwiebel, 150 g Kasseler, 1 Schuß Weißwein, 2 Becher Sahnedickmilch, 5 Eier, Salz, Pfeffer aus der Mühle, je 1 Prise Muskat, Kümmel und Cayennepfeffer
2–3 EL Weizenvollkornmehl
50 g ger. Parmesan

1. Die Kartoffeln waschen, schälen, in Würfel oder Scheiben schneiden und in der Gemüsebrühe bißfest garen.

2. Die Butter oder Margarine in einer Auflaufform erhitzen und die feingehackte Zwiebel darin glasig schwitzen.

3. Das Kasseler würfeln, zur Zwiebel geben und kurz mitbraten.

4. Mit Weißwein ablöschen, die Kartoffeln dazugeben, kurz durchschwenken und anschließend in eine ausgefettete Auflaufform geben.

5. Die Sahnedickmilch mit den Eiern in eine Schüssel geben und gut verschlagen.

6. Mit Salz, Pfeffer, Muskat, Kümmel und Cayennepfeffer kräftig abschmecken.

7. Das Mehl mit dem geriebenen Käse untermischen und auf dem Kasseler Auflauf verteilen.

8. Das Ganze im auf 180–200 °C vorgeheizten Backofen 15–20 Minuten backen. Herausnehmen, anrichten, mit der gehackten Melisse bestreuen und servieren.

FÜR 4 PERSONEN:
600 g Kartoffeln
1 Gemüsezwiebel
4 Karotten
2 große Äpfel
Saft von 1 Zitrone
Salz
Pfeffer aus der Mühle
1 Prise Zimt
250 ml Sahne
3 Eier
3-4 EL Walnußkerne
Butter oder Margarine zum Ausfetten und für die Flöckchen

Eier–Kartoffel-auflauf mit Walnußkernen

1. Die Kartoffeln schälen, in Scheiben schneiden, kurz in Salzwasser blanchieren, herausnehmen, abtropfen lassen und bereitstellen.

2. Die Zwiebel schälen und in Scheiben schneiden.

3. Die Karotten schälen und grob raspeln.

4. Die Äpfel schälen, entkernen, in Scheiben schneiden und mit Zitronensaft beträufeln.

5. Die Kartoffeln, die Zwiebeln, die Karotten und die Äpfel vorsichtig miteinander vermischen. Mit Salz, Pfeffer und Zimt kräftig würzen.

6. Die Sahne mit den Eiern verschlagen. Mit Salz, Pfeffer und Zimt abschmecken.

7. Eine Auflaufform ausfetten. Das Kartoffelgemüse einfüllen. Mit der Eisahne überziehen, mit Walnußkernen bestreuen und im auf 180–200 °C vorgeheizten Backofen 20–25 Minuten backen.

8. Den Kartoffelauflauf mit Walnußkernen herausnehmen, anrichten, ausgarnieren und sofort servieren.

FÜR 4 PERSONEN:
600 g gekochte Kartoffeln
600 g Mangold
1–2 EL Butter/Margarine
1–2 Knoblauchzehen
1 TL Salz
1 Schuß Weißwein
Salz, Pfeffer
1 Prise Muskatpulver
Fett für die Form
1 Becher Sahnedickmilch
3 Eier
125 g ger. Butterkäse
2–3 EL Pinienkerne

Kartoffel-Mangold-Gratin

1. Die Kartoffeln pellen, in Scheiben schneiden und bereitstellen.

2. Den Mangold in mundgerechte Stücke schneiden.

3. Das Fett erhitzen und die mit Salz zerriebenen Knoblauchzehen darin anschwitzen.

4. Den Mangold dazugeben und kurz mitschwitzen. Mit Wein ablöschen und 3–4 Minuten dünsten.

5. Mit Salz, Pfeffer und Muskat abschmecken und den Mangold in eine ausgefettete Auflaufform geben.

6. Die Kartoffelscheiben in die Mitte legen. Die Dickmilch mit den Eiern verschlagen, mit Salz, Pfeffer und Muskat abschmecken und auf den Kartoffeln verteilen.

7. Den geriebenen Käse darüberstreuen und im auf 180–200 °C vorgeheizten Backofen 10–15 Minuten überbacken. Herausnehmen, mit Pinienkernen bestreuen, ausgarnieren und servieren.

FÜR 4 PERSONEN:
1 kg Kartoffeln
2–3 EL Butter oder Margarine
100 g durchwachsenen geräucherten Speck
2 Zwiebeln
1 Tasse Gemüsebrühe
1 Lorbeerblatt
1 TL Kümmel
1 EL Majoran
Salz
Pfeffer aus der Mühle
1 Becher Sahne
2 Eier
200 g ger. Emmentaler
1/2 Bund Schnittlauch

Kartoffelauflauf mit Käse

1. Die Kartoffeln schälen und in feine Scheiben schneiden.

2. Die Butter oder Margarine in einer Auflaufform erhitzen und den in feine Würfel geschnittenen Speck darin auslassen.

3. Die Zwiebeln schälen, fein hacken, zum Speck geben und kurz mitschwitzen.

4. Die Kartoffelscheiben dazugeben und kurz mitschwitzen. Das Ganze gut miteinander vermischen.

5. Die Gemüsebrühe angießen, das Lorbeerblatt, den Kümmel und den Majoran dazugeben und mit Salz und Pfeffer würzen.

6. Das Gemüse weitere 6–8 Minuten dünsten.

7. In der Zwischenzeit die Sahne mit den Eiern und dem Emmentaler verrühren und nochmals mit Salz und Pfeffer würzen.

8. Das Ganze in eine ausgefettete Auflaufform geben und mit der Eier-Käse-Sahne überziehen.

9. Den Auflauf in den auf 180–200 °C vorgeheizten Backofen schieben und 20–25 Minuten backen. Herausnehmen, anrichten und mit frisch geschnittenem Schnittlauch bestreut servieren.

FÜR 4 PERSONEN:
800 g Rinderhack
2 Eier
1 Zwiebel
1–2 Knoblauchzehen
1 TL Salz
Salz
Pfeffer aus der Mühle
1 Prise Muskatpulver
1 Paprikaschote
200 g frische Champignons
Saft von 1 Zitrone
3–4 EL Semmelbrösel
2–3 EL Tomatenmark
1 Becher Sahnedickmilch
1 TL Paprikapulver
1 TL Majoran und Thymian

AUSSERDEM:
Butter/Margarine zum Ausfetten
800 g gekochte Kartoffeln
200 g Kirschtomaten
200 g Mozzarellakäse

Hackfleischtorte

1. Das Rinderhack mit den Eiern und der feingehackten Zwiebel vermischen.

2. Die Knoblauchzehen mit Salz zerreiben, mit dem Fleisch vermischen. Mit Salz, Pfeffer und Muskat würzen.

3. Die Paprikaschote halbieren, entkernen und würfeln.

4. Die Champignons würfeln, mit Zitronensaft beträufeln, mit Semmelbröseln, Tomatenmark und Dickmilch zum Fleisch geben und vermischen.

5. Die Masse mit Paprika, Majoran und Thymian verfeinern.

6. Die Kartoffeln pellen, in Scheiben schneiden und eine Auflaufform damit auslegen.

7. Die Hackfleischmasse darauf verteilen und im auf 180–200 °C vorgeheizten Ofen 40–45 Minuten backen.

8. Eine Kartoffel grob raspeln, kurz vor Garende die Kirschtomaten über Kreuz einschneiden. Die Kartoffelraspel kreisförmig am Tortenrand verteilen und die Tomaten einsetzen.

9. Den Mozzarellakäse schneiden und in die Mitte legen.

10. Das Ganze weitere 10 Minuten backen, die Hackfleischtorte herausnehmen, anrichten, ausgarnieren und servieren.

FÜR 4 PERSONEN:
500 g Kartoffeln
1 Schuß Sahne,
Salz
Pfeffer
1 Prise Muskat
Margarine zum Ausfetten

FÜR DEN BELAG:
400 g Mischgemüse (TKProdukt)
2 EL Olivenöl
200 g frische Champignons
Saft von 1 Zitrone
6 Tomaten
je 1 TL Oregano und Basilikum

FÜR DIE SAUCE:
30 g Butter/Margarine
30 g Mehl
1/4 l Milch
4 EL geriebenen Parmesankäse

AUSSERDEM:
200 g Mozzarellakäse
1 Tasse gemischte, gehackte. Kräuter

Kartoffelauflauf mit Mozzarella

1. Die Kartoffeln in Salzwasser garen, pürieren, mit Sahne glattrühren, mit Salz, Pfeffer und Muskat kräftig würzen.

2. Eine Auflaufform ausfetten und das Püree hineingeben.

3. Das Mischgemüse auftauen und im Öl kurz anschwitzen.

4. Die Champignons schneiden, mit Zitronensaft beträufeln und unter das Gemüse heben.

5. Die Tomaten würfeln, mit Oregano und Basilikum unter das Gemüse mischen, mit Salz, Pfeffer und Muskat würzen.

6. Das Fett erhitzen und das Mehl einrühren. Die Milch angießen und zu einer Sauce verkochen.

7. Mit Salz, Pfeffer, Muskat und Parmesan verfeinern.

8. Das Gemüse auf dem Püree verteilen, mit der Sauce angießen und mit geschnittenem Mozzarella belegen.

9. Im auf 180–200 °C vorgeheizten Backofen 15–20 Minuten garen, anrichten, ausgarnieren und mit gehackten Kräutern bestreut servieren.

Schlemmer-gerichte

FÜR 4 PERSONEN:
1–2 dünne Schollenfilets à 80 g
einige Tropfen Zitronensaft
einige Tropfen Worcestersauce
Salz
Pfeffer aus der Mühle
4 EL Tomatenpüree

AUSSERDEM:
800 g festk. Kartoffeln
2–3 EL Butter oder Margarine
2 Zwiebeln
3/8 l Gemüsebrühe
2 Avocados
Saft von 2 Zitronen
1 Prise Cayennepfeffer
1 Prise Muskat

Schollenröllchen auf Avocado-Kartoffeln

1. Die Schollenfilets unter fließendem Wasser waschen, trockentupfen, mit Zitronensaft und Worcestersauce beträufeln, mit Salz und Pfeffer würzen.

2. Die Filets mit Tomatenpüree bestreichen, zusammenrollen und mit Zahnstochern zusammenstecken.

3. Die Schollenröllchen im Kühlschrank mindestens 10–15 Minuten ziehen lassen.

4. Die Kartoffeln schälen, in Würfel schneiden und bereitstellen.

5. Die Butter oder Margarine in einem Topf erhitzen und die geschälten und feingehackten Zwiebeln darin glasig schwitzen.

6. Die Kartoffelwürfel dazugeben, kurz mitdünsten, mit der Gemüsebrühe auffüllen und bei mäßiger Hitze 10–15 Minuten köcheln lassen.

7. Die Avocados schälen, halbieren, den Kern herauslösen, das Fruchtfleisch in Würfel schneiden und sofort mit Zitronensaft beträufeln.

8. Die Avocadowürfel unter die Kartoffeln heben, einmal aufkochen lassen und das Ganze mit Salz, Pfeffer, Zitronensaft, Worcestersauce, Cayennepfeffer und Muskat kräftig abschmecken.

9. Die Schollenröllchen auf das Gemüse setzen, den Topf verschließen und das Ganze weitere 5–8 Minuten dünsten.

10. Das Gemüse mit den Schollenröllchen anrichten, ausgarnieren und servieren.

FÜR 4 PERSONEN:
4 Seelachsfilets
einige Tropfen Worcestersauce
einige Tropfen Zitronensaft
Salz
Pfeffer aus der Mühle

AUSSERDEM:
4 entsprechend große Stück Alufolie
Butter/Margarine zum Bestreichen

FÜR DAS GEMÜSE:
600 g Mangold
1/2 l Gemüsebrühe
1 Prise Muskat

FÜR DEN KARTOFFELSCHNEE:
600 g Kartoffeln
Salzwasser

Seelachsfilets mit Mangold und Kartoffelschnee

1. Die Seelachsfilets waschen, trockentupfen, mit Worcestersauce und Zitronensaft beträufeln, mit Salz und Pfeffer würzen und im Kühlschrank 10-15 Minuten ziehen lassen.

2. Die Alufolie mit Butter oder Margarine bestreichen.

3. Den Mangold waschen und in der erhitzten Gemüsebrühe blanchieren.

4. Den Mangold aus der Brühe nehmen, gut abtropfen lassen und auf die Alufolie legen. Mit Salz, Pfeffer und Muskat bestreuen.

5. Die Seelachsfilets auf die Folie legen, verschließen und auf 180–200 °C vorgeheizten Backofen 15–18 Minuten garen.

6. Die Kartoffeln in Salzwasser garen, pellen, durch die Kartoffelpresse auf heiße Teller pressen, mit Salz, Pfeffer und Muskat bestreuen. Den Mangold mit dem Seelachsfilet anrichten, das Ganze ausgarnieren und servieren.

FÜR 4 PERSONEN:
400 g Kartoffeln
1 Stange Lauch
1 gelbe Paprikaschote
1 rote Paprikaschote
2 Karotten
2.–3 EL Butterschmalz
1 Zwiebel
1 Stück Lauch
1/2 l Gemüsebrühe
100 g Zuckerschoten
1 Zucchino
Salz
Pfeffer aus der Mühle
1 Prise Cayennepfeffer
1 Prise Muskat
100 g geräucherten Speck
4 Eier
1 Bund Petersilie

Buntes Kartoffelgemüse mit Spiegeleiern

1. Die Kartoffeln schälen und in Würfel schneiden.

2. Die Paprikaschoten halbieren, entkernen, waschen, abtropfen lassen und würfeln.

3. Die Karotten schälen und ebenfalls fein würfeln.

4. Die Kartoffeln, die Paprikaschoten und die Karotten miteinander vermischen.

5. Das Butterschmalz in einem Topf erhitzen und die geschälte und feingehackte Zwiebel darin glasig schwitzen.

6. Das Kartoffelgemüse zu den Zwiebeln geben und kurz mitschwitzen.

7. Den Lauch putzen, in Streifen oder Würfel schneiden, zum Gemüse geben und kurz anschwitzen.

8. Das Ganze mit Kalbs- oder Gemüsebrühe auffüllen und bei mäßiger Hitze 20 Minuten garen.

9. Die geputzten Zuckerschoten mit dem geputzten und in Scheiben geschnittenem Zucchino unter das Kartoffelgemüse heben und kurz mitschwitzen.

10. Das Gemüse mit Salz, Pfeffer, Cayennepfeffer und Muskat kräftig abschmecken.

11. Den geräucherten Speck in Scheiben oder Würfel schneiden und in einer Pfanne kross braten.

12. Die Eier daraufsetzen und zu Spiegeleiern ausbacken.

13. Das Kartoffelgemüse anrichten. Mit den Spiegeleiern belegen. Mit gehackter Petersilie bestreuen, ausgarnieren und sofort servieren.

FÜR 4 PERSONEN:
500 g Pellkartoffeln
500 g grüne Bohnen (TK-Produkt)
200 g rohen Schinken
1/4 l Milch
4 Eier
125 g geriebenen Butterkäse
Saft von 1 Zitrone
Salz
Pfeffer aus der Mühle
1 Prise Cayennepfeffer
1 Prise Muskat
1 TL Bohnenkraut
Butter oder Margarineflöckchen zum Belegen

Mecklenburger Kartoffelbohnen

1. Die Kartoffeln pellen, in Scheiben oder Würfel schneiden, mit den grünen Bohnen in eine ausgefettete Auflaufform geben.

2. Den Schinken in Streifen oder Würfel schneiden und gleichmäßig auf dem Kartoffelauflauf verteilen.

3. Die Milch mit den Eiern und 2/3 des Käses verschlagen. Mit Zitronensaft, Salz, Pfeffer, Cayennepfeffer, Muskat und Bohnenkraut kräftig abschmecken.

4. Die Eiermilch gleichmäßig auf den Auflauf geben und mit dem restlichen Käse bestreuen.

5. Einige Butter- oder Margarineflöckchen darauflegen und das Ganze im auf 180–200 °C vorgeheizten Backofen 20–25 Minuten backen. Herausnehmen, anrichten, ausgarnieren und servieren.

FÜR 4 PERSONEN:
500 g Fischfilet
Saft von 1 Zitrone
einige Tropfen Worcestersauce
Salz
Pfeffer aus der Mühle
200 g Bratwurstbrät
1 Ei
1 Tasse gemischte, gehackte Kräuter (Petersilie, Thymian, Schnittlauch, Dill und Kerbel)
1–2 EL Butter oder Margarine
1/8–1/4 l Gemüsebrühe

Kartoffelhälften mit Fischfüllung

1. Das Fischfilet waschen, trockentupfen, in kleine Würfel schneiden, mit Zitronensaft und Worcestersauce beträufeln und mit Salz und Pfeffer würzen.

2. Das Bratwurstbrät in eine Schüssel geben, das Ei und die gehackten Kräuter untermischen und das Ganze mit Salz und Pfeffer kräftig würzen.

3. Die Kartoffeln der Länge nach halbieren, mit einem Kugelausstecher aushöhlen, so daß ein 1 cm breiter Rand stehen bleibt.

4. Die Kartoffelreste in eine ausgefettete Auflaufform geben und die Kartoffelhälften einsetzen.

5. Die Kartoffeln mit Salz und Pfeffer kräftig würzen und mit der Gemüsebrühe angießen.

6. Das Ganze zum Kochen bringen und 8–10 Minuten köcheln lassen. Danach vom Feuer nehmen, die Kartoffeln aus dem Sud schöpfen, gut abtropfen lassen und bereitstellen.

7. Die Fischwürfel unter die Bratwurstmasse heben, nochmals abschmecken und anschließend das Ganze in die Kartoffelhälften füllen.

8. Die Kartoffeln in die Form geben, mit Alufolie abdecken und im auf 180–200 °C vorgeheizten Backofen 20–25 Minuten fertiggaren. Die gefüllten Kartoffelhälften anrichten, ausgarnieren und servieren.

FÜR 4 PERSONEN:
500 g Fischfilet (Kabeljau, Lengfisch, Schellfisch)
Saft von 1 Zitrone
einige Tropfen Worcestersauce
Salz
Pfeffer aus der Mühle
2–3 EL Butter oder Margarine
1 Zwiebel
1/4 l Gemüsebrühe
1 Tasse Weißwein
500 g gekochte Kartoffeln
3 EL Butte oder Margarine
1/8 l kochende Milch
1 EL Kapern
1/2 Bund Petersilie
1 Prise Muskat
1 Prise Selleriesalz

AUSSERDEM:
1 große Zwiebel
2–3 EL Butter oder Margarine

Fisch auf Kartoffelpüree

1. Die Fischfilets waschen, trockentupfen und in mundgerechte Würfel schneiden.

2. Die Fischwürfel mit Zitronensaft und Worcestersauce beträufeln, mit Salz und Pfeffer würzen.

3. Das Fett in einem Topf erhitzen und die feingehackte Zwiebel glasig schwitzen.

4. Das Ganze mit der Gemüsebrühe und dem Weißwein auffüllen, zum Kochen bringen und die Fischwürfel darin garziehen lassen.

5. In der Zwischenzeit die gekochten Kartoffeln durch die Kartoffelpresse treiben und mit der Butter oder Margarine und der Milch glattrühren.

6. Die Kapern und die gehackte Petersilie unter das Püree ziehen und das Ganze mit Salz, Pfeffer, Muskat und Selleriesalz kräftig abschmecken.

7. Die fertigen Fischfiletwürfel unter das Püree heben und dekorativ anrichten.

8. Die Zwiebel schälen, in Ringe schneiden, mit der Butter oder Margarine in einer Pfanne goldgelb ausbraten, gleichmäßig auf das Püree verteilen, das Püree ausgarnieren und servieren.

FÜR 4 PERSONEN:
4 Hähnchenkeulen
1 kleine Kalbszunge
2 Ochsenscheiben
Salzwasser

AUSSERDEM:
2–3 l Gemüse- oder Fleischbrühe
1 Gewürzbeutel (Lorbeer, Wacholder, Nelken, Pfefferkörner)
je 1 Zweig Rosmarin und Thymian
1/2 Bund Petersilie
2 Zwiebeln
1 Stange Lauch
4 Karotten
1 kleinen Sellerie
8 Kartoffeln

FÜR DIE SAUCE:
1 Tasse Fleischbrühe
1 kleine Zwiebel
1 Handvoll Brunnenkresse
1 Handvoll Kerbel
1 Handvoll Estragon
2 Knoblauchzehen
1 kleines Glas Sardellenfilets
einige Tropfen Aceto balsamico
1/2 Tasse Semmelbrösel
1 Tasse Olivenöl
Salz
Pfeffer aus der Mühle
1 Prise Muskatpulver
1 Prise Cayennepfeffer

Schlemmerkessel

1. Die küchenfertigen Hähnchenkeulen, die Kalbszunge und die Ochsenscheiben unter fließendem Wasser abwaschen und trockentupfen.

2. Das Salzwasser in einem Topf erhitzen und die Fleischteile darin kurz blanchieren. Herausnehmen, unter fließendem Wasser abwaschen, gut abtropfen lassen und bereitstellen.

3. Die Gemüse oder Fleischbrühe in einem Topf erhitzen. Den Gewürzbeutel und die Kräuter dazugeben und die Ochsenscheiben bei mäßiger Hitze 40–50 Minuten köcheln lassen.

4. Anschließend die Kalbszunge dazugeben und weitere 30–40 Minuten garen.

5. In der Zwischenzeit die Zwiebeln, den Lauch, die Karotten, den Sellerie und die Kartoffeln putzen. Je nach Bedarf in mundgerechte Stücke schneiden. Mit den Hähnchenkeulen in den Kessel geben und weitere 30–40 Minuten garen.

6. Für die Sauce eine Tasse Fleischbrühe abnehmen, leicht erkalten lassen. Mit der geschälten, feingehackten Zwiebel sowie den verlesenen, gewaschenen und kleingeschnittenen Kräutern, den geschälten, gehackten Knoblauchzehen und den abgewaschenen Sardellenfilets im Mixer oder mit dem Pürierstab pürieren.

7. Das Ganze mit etwas Aceto balsamico säuern und mit Semmelbröseln binden.

8. Tropfenweise das Olivenöl einrühren. Die Sauce mit Salz, Pfeffer, Muskat und Cayennepfeffer kräftig würzen und bereitstellen.

9. Nach Ende der Garzeit den Schlemmerkessel kräftig abschmecken, anrichten und mit der Sauce servieren.

FÜR 4 PERSONEN:
1–2 Auberginen
1–2 EL Salz
500 g gekochte Kartoffeln
4 Tomaten
1/2 l Béchamelsauce
1–2 Knoblauchzehen
Salz
Pfeffer aus der Mühle
1 Prise Muskat
1 Prise Cayennepfeffer
100 g geriebenen Käse
Kräuterzweige zum Garnieren

Kartoffel–Auberginen–Gemüse

1. Die Auberginen putzen, in Scheiben schneiden, mit Salz bestreuen und im Kühlschrank 10–15 Minuten ziehen lassen. Anschließend waschen und bereitstellen.

2. Die Kartoffeln pellen, und wie die Tomaten in Scheiben schneiden.

3. Die Auberginenscheiben mit den Kartoffeln und den Tomaten in eine ausgefettete Auflaufform schichten.

4. Die Béchamelsauce mit den mit Salz zerriebenen Knoblauchzehen verrühren, nochmals kräftig abschmecken und die Hälfte des Käses untermischen.

5. Die Sauce gleichmäßig über das Gemüse verteilen und den restlichen Käse darüberstreuen.

6. Das Gemüse im auf 180–200 °C vorgeheizten Backofen 15–20 Minuten backen, herausnehmen, anrichten, ausgarnieren, mit Kräuterzweigen belegen und servieren.

FÜR 4 PERSONEN:
1 Lammkeule mit Knochen (2 kg)
1 l Kefir,
1 EL Rosmarin
1 TL Thymian
2 Lorbeerblätter
1 TL zerstoßene Wacholderbeeren
je 1 EL Pfeffer- und Senfkörner
Saft von 1 Zitrone
4 Knoblauchzehen
2 Zwiebeln
Salz, Pfeffer aus der Mühle
1 EL Kräuter der Provence
2-3 EL Butterschmalz
3/4 l Rotwein

AUSSERDEM:
2 mittelgroße Zucchini
4 Tomaten

Gebeizte Lammkeule

1. Die Lammkeule waschen, trockentupfen, in eine Schüssel legen.

2. Den Kefir mit Rosmarin, Thymian, den Lorbeerblättern, den Wacholderbeeren, den Pfeffer- und Senfkörnern und dem Zitronensaft in einer Schüssel vermischen.

3. Die Knoblauchzehen hacken, die Zwiebeln in Ringe schneiden.

4. Knoblauch und Zwiebelringe in die Kefirbeize rühren und auf der Lammkeule verteilen.

5. Die Lammkeule zugedeckt im Kühlschrank mindestens eine Nacht ziehen lassen.

6. Das Fleisch herausnehmen, trockentupfen, mit Salz und Pfeffer würzen, mit Kräutern der Provence bestreuen und das Butterschmalz in einem Bräter erhitzen.

7. Die Lammkeule im Schmalz rundherum Farbe nehmen lassen, den Rotwein angießen und im auf 180–200 °C vorgeheizten Backofen 1 1/2–2 Stunden schmoren lassen.

8. 1/4 l Kefirbeize abmessen, durchseihen und etwa 40–50 Minuten vor Garende über die Lammkeule gießen.

9. 20 Minuten vor Garende die in Stifte geschnittenen Zucchini sowie die enthäuteten und in Achtel geschnittenen Tomaten zum Fleisch geben und fertiggaren.

10. Nach Ende der Garzeit die Lammkeule aus der Sauce nehmen, anrichten, das Gemüse nochmals abschmecken, zur Lammkeule geben, das Ganze ausgarnieren und servieren.

FÜR 4 PERSONEN:
1 kg gleich große Kartoffeln
Salzwasser
150–200 g Krabben oder Shrimps
3–4 EL Keimöl
1 Zwiebel
1 Schuß Weißwein
1/4 l Gemüsebrühe
Salz
Pfeffer aus der Mühle
1 TL Curry
1 Prise Kurkuma
2 Becher Crème fraîche
4 Portionen Blattspinat

Krabben–Kartoffeln in Currysahne

1. Die Kartoffeln gründlich waschen und in einen Topf geben, Salzwasser angießen und die Kartoffeln 10-15 Minuten garen.

2. Anschließend die Kartoffeln abschrecken, pellen und in Abständen von 1/2-1 cm keilförmige, kleine Stückchen herausschneiden.

3. Die Krabben oder Shrimps in die Ausschnitte legen. Die Krabben-Kartoffeln in eine ausgefettete Auflaufform geben.

4. Das Keimöl in einer Pfanne erhitzen und die feingehackte Zwiebel darin glasig schwitzen.

5. Mit Weißwein ablöschen und mit der Gemüse- oder Fleischbrühe auffüllen.

6. Mit Salz, Pfeffer, Curry und Kurkuma kräftig abschmecken und die Crème fraîche einrühren.

7. Die Sauce gleichmäßig auf die Krabben-Kartoffeln verteilen und das Ganze in dem auf 180-200 °C vorgeheizten Backofen 30-40 Minuten garen. Während der Garzeit öfter die Kartoffeln mit etwas Sauce überziehen.

8. Die Kartoffeln anrichten, etwas Sauce darübergießen, den fertigen Blattspinat dazugeben, das Ganze ausgarnieren und servieren.

Wolfgangs Festessen

FÜR 4 PERSONEN:
800 g Tafelspitz
2 Zwiebeln
4 Karotten
1 Stange Lauch
600 g Kartoffeln
2–3 l Gemüsebrühe
2 Lorbeerblätter
einige Nelken
einige Pfefferkörner
einige Senfkörner
1 Peperoni
Salz
Pfeffer aus der Mühle
1 Prise Muskatpulver
1 Prise Cayennepfeffer

AUSSERDEM:
1 Glas Sahne–Meerrettich
1 Glas Delikateß–Senf

1. Den Tafelspitz waschen und trockentupfen.

2. Die Zwiebeln schälen und in grobe Würfel schneiden.

3. Die Karotten schälen und ebenfalls würfeln.

4. Den Lauch putzen, waschen, gut abtropfen lassen und in Stücke schneiden.

5. Die Kartoffeln schälen, halbieren oder vierteln.

6. Die Gemüsebrühe in einen feuerfesten Grilltopf geben und zum Kochen bringen.

7. Die Lorbeerblätter, die Nelken, die Pfefferkörner, die Senfkörner und die Peperoni dazugeben, mit Salz, Pfeffer, Muskat und Cayennepfeffer würzen und 2–3 Minuten ziehen lassen.

8. Das Fleisch dazugeben und bei mäßiger Hitze 60 Minuten garen.

9. Das Gemüse zu dem Fleisch geben und 30–40 Minuten garen.

10. Nach Ende der Garzeit das Fleisch und das Gemüse auf einer großen Platte anrichten, den Sud nochmals abschmecken, getrennt zum Festessen reichen, ausgarnieren und mit Sahne-Meerrettich und Delikateß-Senf oder einer grünen Frankfurter Sauce servieren.

Tolle Knolle in Alufolie

FÜR 4 PERSONEN:
1,2 kg mittelgroße Kartoffeln
Salzwasser
2 Lorbeerblätter
2 EL Kümmel
Alufolie
Olivenöl zum Bestreichen

AUSSERDEM:
2 Becher Sahnedickmilch
1 Schuß Sahne
1 Bund Schnittlauch
1 Kästchen Kresse
Salz
Pfeffer aus der Mühle
1 Prise Knoblauchpulver
1 EL grob gemahlener Kümmel

1. Die Kartoffeln waschen und in einen Topf geben.

2. Das Salzwasser, die Lorbeerblätter und den Kümmel dazugeben und die Kartoffeln bißfest garen.

3. Je nach Anzahl der Kartoffeln entsprechend große Stücke Alufolie vorbereiten und diese mit Olivenöl bestreichen.

4. Die Kartoffeln in Alufolie wickeln und auf dem Grill fertiggaren.

5. Für die Sauce die Sahnedickmilch mit der Sahne in eine Schüssel geben und glattrühren.

6. Die verlesenen, gewaschenen und feingehackten Kräuter untermischen, das Ganze mit Salz, Pfeffer, Knoblauchpulver und Kümmel kräftig würzen.

7. Die fertigen Folienkartoffeln mit einem Messer über Kreuz einschneiden und mit beiden Daumen und Zeigefingern zur Mitte hin zusammendrücken.

8. Die Sauce gleichmäßig über die Folienkartoffeln verteilen, anrichten, ausgarnieren und servieren.

Scholle auf Kartoffel–Gemüse–Bett

FÜR 4 PERSONEN:
4 küchenfertige Schollen
einige Tropfen Zitronensaft
einige Tropfen Worcestersauce
Salz
Pfeffer aus der Mühle
300 g Kartoffeln
2 Kohlrabi
2 Karotten
1 Fenchelknolle
1–2 EL Butter oder Margarine
1 Zwiebel
1/2 l Gemüsebrühe
je 1/2 Tasse Obstessig und Weißwein
4 cl Pernod
1 Bund Dill

1. Die Filets waschen, trockentupfen, mit Zitronensaft und Worcestersauce beträufeln, mit Salz und Pfeffer würzen und im Kühlschrank 20 Minuten ziehen lassen.

2. Die Kartoffeln und Kohlrabi in Würfel, die Karotten in Streifen schneiden.

3. Die Fenchelknolle putzen, waschen und in Streifen schneiden.

4. Die Butter oder Margarine in einem Topf erhitzen und die feingehackte Zwiebel darin anschwitzen.

5. Das restliche Gemüse dazugeben und kurz mitschwitzen.

6. Mit der Gemüsebrühe, dem Obstessig und dem Weißwein auffüllen und das Ganze bei mäßiger Hitze 8–10 Minuten ziehen lassen.

7. Den Gemüsesud mit Pernod aromatisieren, mit Salz und Pfeffer würzen und die Hälfte des zerpflückten Dills dazugeben.

8. Die Schollenfilets in den Sud legen und bei mäßiger Hitze 18–20 Minuten garziehen lassen.

9. Die Schollenfilets anrichten, den Gemüsesud abschmecken, auf den Schollenfilets anrichten, mit dem restlichen gehackten Dill bestreuen, ausgarnieren und servieren.

Räucherfischauflauf mit Kartoffeln

FÜR 4 PERSONEN:
2 EL Butter/Margarine
1 Zwiebel
100 g Stangensellerie
je 1 rote und grüne Paprikaschote
100 g frische Champignons
Saft von 1 Zitrone
1 Glas Weißwein
je 1 TL Oregano und Basilikum
Salz
Pfeffer aus der Mühle
4 Tomaten
400 g Räucherfisch
500 g gekochte Kartoffeln
1 Prise Cayennepfeffer
1/4 l Sahne
100 g ger. Butterkäse
1 Tasse gem., geh. Kräuter

1. Die Butter oder Margarine in einer Pfanne erhitzen und die geschälte und feingehackte Zwiebel darin glasig schwitzen.

2. Den Sellerie würfeln, zur Zwiebel geben und kurz mitschwitzen.

3. Die Paprikaschoten in Streifen schneiden, zum Gemüse geben und mitschwitzen.

4. Die Champignons in Scheiben schneiden, mit Zitronensaft beträufeln, zum Gemüse geben und kurz andünsten.

5. Mit Wein ablöschen, mit Oregano, Basilikum, Salz und Pfeffer würzen.

6. Die gewürfelten Tomaten mit dem kleingeschnittenen Räucherfisch und den in Würfel oder Scheiben geschnittenen Kartoffeln unter das Gemüse heben und in eine ausgefettete Auflaufform geben.

7. Das Ganze mit Salz, Pfeffer und Cayennepfeffer bestreuen, die Sahne ebenfalls würzen, den Butterkäse untermischen und das Ganze gleichmäßig auf dem Auflauf verteilen.

8. Den Auflauf im auf 180--200 °C vorgeheizten Backofen 20-25 Minuten backen, herausnehmen, anrichten, mit Kräutern bestreuen, ausgarnieren und servieren.

Meerrettich-

FÜR 4 PERSONEN:
1 kg dicke Rippe
Salz
Pfeffer aus der Mühle
1 TL Paprikapulver
1 EL Majoran
1 TL Thymian
2 Knoblauchzehen
1 TL Salz
2–3 EL Butterschmalz
1/4 l Weißwein
500 g Kartoffeln
4 Karotten
2 Zwiebeln
etwas Gemüsebrühe
Kräuterzweige zum Garnieren

Kartoffelrippchen

1. Die dicke Rippe in acht gleich große Stücke teilen, waschen und trockentupfen.

2. Die Rippchen mit Salz, Pfeffer, Paprika, Majoran und Thymian kräftig würzen.

3. Die Knoblauchzehen schälen und mit Salz zu einer Paste zerreiben.

4. Das Fleisch mit der Knoblauchpaste und dem Butterschmalz in ein Bratgeschirr geben und rundherum Farbe nehmen lassen.

5. Während der Garzeit die Fleischteile mehrmals wenden und je nach Bedarf mit etwas Weißwein ablöschen.

6. In der Zwischenzeit die Kartoffeln, die Karotten und die Zwiebeln schälen.

7. Das Gemüse in mundgerechte Stücke schneiden, zum Fleisch geben, den restlichen Weißwein angießen, je nach Bedarf etwas Gemüsebrühe oder Wasser auffüllen und zugedeckt bei mäßiger Hitze das Ganze 40–50 Minuten schmoren lassen.

8. Nach Ende der Garzeit die Kartoffelrippchen nochmals abschmecken, anrichten, mit Kräuterzweigen garnieren und servieren.

FÜR 4 PERSONEN:
1,5 kg Schweinerollbraten
Salz
Pfeffer aus der Mühle
1 TL Paprikapulver
1 TL Kümmel
2 EL mittelscharfen Senf
2–3 EL Butterschmalz
etwas Wasser oder Wein
4 Zwiebeln, 2 Karotten
500 g Kartoffeln
1 Stange Lauch
1/2 l Gemüsebrühe
2–3 EL Tomatenmark
1 Becher Sahne
4 EL Mehl
1/2 Bund Petersilie
1/2 Bund Schnittlauch

Kartoffelbraten

1. Den Schweinerollbraten waschen, trockentupfen, mit Salz, Pfeffer, Paprika und Kümmel kräftig würzen.

2. Anschließend den Rollbraten mit Senf bestreichen.

3. Das Butterschmalz in einem Bräter erhitzen und den Braten darin rundherum Farbe nehmen lassen.

4. Den Bräter in den auf 180–200 °C vorgeheizten Backofen schieben und den Braten darin 40 Minuten garen. Während der Garzeit öfter mit etwas Wasser oder Wein ablöschen.

5. In der Zwischenzeit die Zwiebeln, die Karotten, die Kartoffeln und den Lauch putzen, in mundgerechte Würfel schneiden und anschließend zum Fleisch geben.

6. Das Ganze mit der Gemüsebrühe auffüllen und das Tomatenmark einrühren. Weitere 20–25 Minuten garen.

7. Die Sahne mit dem Mehl verrühren und unter die Sauce ziehen. Weitere 10–15 Minuten köcheln lassen.

8. Nach Ende der Garzeit den Rollbraten herausnehmen und in Scheiben schneiden.
Die Sauce nochmals kräftig abschmecken, die gehackten Kräuter untermischen, den Rollbraten mit dem Gemüse anrichten, ausgarnieren und servieren.

FÜR 4 PERSONEN:
500 g Kartoffeln
1 Zwiebel
2 Knoblauchzehen
1 TL Salz
2–3 EL Sonnenblumenöl
1 grüne Paprikaschote
2 Stangen Lauch
etwas Gemüsebrühe
1 Dose geschälte Tomaten
1 große Dose Kidney-Bohnen
Salz
Pfeffer aus der Mühle
1 Prise Chilipulver
1 Prise Zucker
1 TL Oregano
1 TL Thymian
1 Scheibe Patros-Feta in Salzlake (150 g)

Kartoffelpfanne mit Feta

1. Die Kartoffeln waschen, schälen und in Würfel schneiden.

2. Die Zwiebel schälen und ebenfalls fein würfeln.

3. Die Knoblauchzehen schälen und mit Salz zu einer Paste zerreiben.

4. Das Sonnenblumenöl in einer Pfanne erhitzen und das Gemüse darin glasig schwitzen.

5. Die Paprikaschote halbieren, entkernen, in Streifen schneiden, mit dem geputzten und in Streifen geschnittenen Lauch zum Gemüse geben und kurz mitbraten.

6. Das Ganze zugedeckt bei mäßiger Hitze 10–15 Minuten dünsten. Je nach Bedarf etwas Gemüsebrühe oder Wasser angießen.

7. Die geschälten Tomaten mit den Kidney-Bohnen unter das Gemüse heben und das Ganze erhitzen.

8. Mit Salz, Pfeffer, Chilipulver, Zucker, Oregano und Thymian kräftig würzen.

9. Das Ganze nochmals kurz durchkochen lassen, anrichten, den in Würfel geschnittenen Feta-Käse darauf verteilen, die Kartoffelpfanne anrichten, ausgarnieren und servieren.

Kartoffelpfanne mit Schmelzkäsecreme

FÜR 4 PERSONEN:
1 kg kleine Kartoffeln
4 Schweineschnitzel
Salz
Pfeffer aus der Mühle
1 Prise Cayennepfeffer
1 Prise Muskat
3–4 EL Butterschmalz
1 rote Paprikaschote
1 gelbe Paprikaschote
1 Bund Frühlingszwiebeln
300 g Erbsen (TK Produkt)
1/4 l Gemüsebrühe
200 g Sahne-Schmelzkäse
1 EL Speisestärke
1 Bund Schnittlauch

1. Die Kartoffeln gründlich waschen und im Salzwasser in 20–25 Minuten garen.

2. Die Schweineschnitzel waschen, trockentupfen, in feine Streifen schneiden, mit Salz, Pfeffer, Cayennepfeffer und Muskat würzen.

3. Das Butterschmalz in einer Pfanne erhitzen und die in Scheiben geschnittenen Kartoffeln darin rundherum kräftig anbraten, bereitstellen.

4. Anschließend nacheinander die Schnitzelstreifen, die geputzten und in Streifen geschnittenen Paprikaschoten und die geputzten und kleingeschnittenen Frühlingszwiebeln unter ständigem Rühren in der Pfanne braten, herausnehmen und bereitstellen.

5. Die Erbsen ebenfalls in der Pfanne unter ständigem Rühren kurz braten und zum restlichen Gemüse geben.

6. Die Gemüsebrühe angießen und den Sahneschmelzkäse darin unter ständigem Rühren schmelzen lassen.

7. Die Sauce mit etwas angerührter Speisestärke binden, mit Salz, Pfeffer, Cayennepfeffer und Muskat würzen.

8. Das Gemüse mit dem Fleisch in die Sauce geben, nochmals aufkochen lassen, 5 Minuten schmoren und kräftig abschmecken.

9. Die Kartoffelpfanne anrichten, mit dem frisch geschnittenen Schnittlauch bestreuen, ausgarnieren und servieren.

FÜR 4 PERSONEN:
500 g Kartoffeln
1–2 EL Butter oder Margarine
etwas Gemüsebrühe
2-3 EL Crème fraîche
1 Prise Muskat
Salz
Pfeffer aus der Mühle
2 Eigelb

AUSSERDEM:
4 Hähnchenbrustfilets
1 TL Thymian
2 EL Butterschmalz
1 Zwiebel
1 Stck Sellerie
je 150 g Erbsen und Karotten (TKProdukt)
1 Becher Sahne
1/4 l geb. Bratensauce
125 g geriebenen Käse
1/2 Bund Petersilie

Gemüseragout mit Kartoffelhaube

1. Die Kartoffeln würfeln, waschen und abtropfen lassen.

2. Die Butter oder Margarine in einem Topf erhitzen und die Kartoffeln glasig schwitzen.

3. Etwas Gemüsebrühe angießen, den Topf verschließen und das Ganze bei mäßiger Hitze 10–15 Minuten köcheln lassen.

4. Nach Ende der Garzeit die Kartoffeln herausnehmen und durch die Kartoffelpresse treiben.

5. Das Püree mit Crème fraîche glattrühren, mit Muskat, Salz und Pfeffer kräftig würzen und die Eigelbe darunterziehen.

6. Die Hähnchenbrustfilets waschen, trockentupfen und in Streifen schneiden.

7. Die Filets mit Thymian, Salz und Pfeffer kräftig würzen.

8. Das Butterschmalz erhitzen und das Hähnchenfleisch darin braten.

9. Die feingehackte Zwiebel mit dem geputzten und gewürfelten Sellerie dazugeben und kurz mitbraten.

10. Die Erbsen und Karotten dazugeben, die Sahne mit der Bratensauce vermischen, angießen und weitere 8–10 Minuten köcheln lassen

11. Das Gemüseragout in eine feuerfeste Form geben, abschmecken und mit dem Kartoffelpüree bedecken.

12. Das Ganze mit geriebenem Käse bestreuen und im auf 220 °C vorgeheizten Backofen goldgelb überbacken. Herausnehmen, anrichten, ausgarnieren und servieren.

FÜR 4 PERSONEN:
600 g Kartoffeln
2 Zwiebeln
1 Rettich
1 rote Paprikaschote
500 g Fleischwurst
1–2 EL Butter oder Margarine
1 TL Kümmel und Majoran
1/4 l Milch
200 g Sahne
125 g ger. Emmentaler
2 Eier
Salz
Pfeffer aus der Mühle
1 Prise Muskat
1 Prise Cayennepfeffer
1/2 Bund Petersilie
1/2 Bund Schnittlauch

Kartoffelbackes

1. Die Kartoffeln schälen, in Scheiben schneiden, waschen und gut abtropfen lassen.

2. Die Zwiebeln und den Rettich schälen und in dünne Scheiben schneiden.

3. Die Paprikaschote halbieren, entkernen, waschen, gut abtropfen lassen und würfeln.

4. Die Fleischwurst enthäuten und in Scheiben schneiden.

5. Eine Auflaufform mit Butter oder Margarine ausfetten und das Gemüse und die Fleischwurst in die Auflaufform geben.

6. Den Auflauf mit Kümmel und Majoran bestreuen und die Milch angießen.

7. Die Sahne mit dem Emmentalerkäse und den Eiern verrühren, mit Salz, Pfeffer, Muskat und Cayennepfeffer kräftig abschmecken.

8. Die Masse gleichmäßig auf den Auflauf verteilen und im auf 180–200 °C vorgeheizten Backofen 30–40 Minuten backen.

9. Nach Ende der Garzeit den Kartoffelbackes herausnehmen, anrichten und mit den gehackten Kräutern bestreut servieren.

FÜR 4 PERSONEN:
600 g Schweinefilet
Salz
Pfeffer aus der Mühle
1–2 EL mittelscharfen Senf
1/2 Tasse Mehl
1–2 EL Olivenöl

FÜR DIE KRUSTE:
2 Eier
je 1/2 Bund Petersilie und Schnittlauch
2 EL geriebene Haselnüsse
2 EL ger. Parmesan
16 Stück Alufolie
Olivenöl zum Bestreichen

FÜR DAS KARTOFFELGRATIN:
750 g mehlig kochende Kartoffeln
2 Knoblauchzehen
Butter zum Einfetten
1 Prise Muskatpulver
1/2 l Milch, 1/2 l Sahne
1 Ei, 125 g Gruyère
70 g Butter/Margarine

Schweinekruste mit Kartoffelgratin

1. Die Schweinefilets in 16 Scheiben schneiden, mit Salz und Pfeffer würzen, mit Senf bestreichen, in Mehl wenden.

2. Das Olivenöl in einer Pfanne erhitzen und die Filetscheiben darin kurz anbraten. Vom Feuer nehmen und bereitstellen.

3. Für die Kruste die Eier mit den feingehackten Kräutern in einer Schüssel verschlagen. Die Haselnüsse und den Parmesankäse untermischen.
16 entsprechend große Stücke Alufolie mit Olivenöl bestreichen, die Filetscheiben darauflegen und mit der Kräuter-Ei-Masse bestreichen.

4. Die Folie verschließen und die Filets im Ofen garen.

5. Für das Kartoffelgratin die Kartoffeln schälen und in hauchdünne Scheibchen schneiden.

6. Eine Auflaufform mit den Knoblauchzehen ausreiben und das Ganze dick mit Butter einfetten.

7. Die Kartoffeln einschichten und jede Lage mit Salz, Pfeffer und Muskat würzen.

8. Die Milch mit der Sahne in einem Topf lauwarm werden lassen und das verquirlte Ei und 2/3 des geriebenen Käses einrühren.

9. Über die Kartoffeln gießen, mit dem Käse bestreuen, die Butterflöckchen daraufsetzen und im auf 180–200 °C vorgeheizten Backofen 30–40 Minuten backen. Mit den Schweineschnitzelchen anrichten, ausgarnieren und servieren.

Pellkartoffeln und Schellfisch

FÜR 4 PERSONEN:
4 Scheiben Schellfischtranchen à 200 g
Saft von 1 Zitrone
einige Tropfen Worcestersauce
Salz
Pfeffer aus der Mühle
1–2 EL Butter oder Margarine
1 Zwiebel
1/4 l Gemüsebrühe
1 Glas Weißwein
1–2 EL mittelscharfen Senf
3–4 EL Crème fraîche
1 Msp. Johannisbrotkernmehl
1 Prise Zucker
1 Prise Cayennepfeffer
1 Bund Schnittlauch

AUSSERDEM:
4 Portionen Pellkartoffeln
4 Portionen geraspelte Radieschen
4 EL geröstete Sonnenblumenkerne

1. Die Schellfischtranchen waschen, trockentupfen, mit Zitronensaft und Worcestersauce beträufeln, mit Salz und Pfeffer würzen und im Kühlschrank 10–15 Minuten ziehen lassen.

2. Die Butter oder Margarine in einer Pfanne erhitzen und die Schellfischtranchen darin braten und warm stellen.

3. Die Zwiebel schälen, fein hacken, ins verbliebene Brafett geben und glasig schwitzen.

4. Mit der Gemüsebrühe und dem Weißwein auffüllen, den Senf und die Crème fraîche einrühren.

5. Die Sauce kräftig einreduzieren lassen und anschließend mit Johannisbrotkernmehl binden. Mit Salz, Pfeffer, Zitronensaft, Worcestersauce, Zucker und Cayennepfeffer kräftig abschmecken und den verlesenen, gewaschenen und feingeschnittenen Schnittlauch untermischen.

6. Die Schellfischtranchen anrichten, die Sauce dazugeben, die Pellkartoffeln mit den geraspelten Radieschen dekorativ dazulegen und das Ganze mit den gerösteten Sonnenblumenkernen bestreuen, ausgarnieren und servieren.

Heilbuttfilets mit Kartoffeln und Gemüse

FÜR 4 PERSONEN:
4 Heilbuttfilets à 250 g
Saft von 1 Zitrone
einige Tropfen Worcestersauce
Salz
Pfeffer aus der Mühle
2–3 EL Butter oder Margarine
1 Zwiebel
2 Karotten
6 Kartoffeln
1 Stück Sellerie
1 Stange Lauch
1 Glas Weißwein
1/2 l Gemüsebrühe
2 Lorbeerblätter
einige Nelken
einige Pfefferkörner
1 Schuß Obstessig
1 Prise Zucker

1. Die Heilbuttfilets waschen, trockentupfen, mit Zitronensaft und Worcestersauce beträufeln, salzen, pfeffern und im Kühlschrank 10–15 Minuten ziehen lassen.

2. Die Butter oder Margarine erhitzen und die feingehackte Zwiebel darin glasig schwitzen.

3. Die Karotten, die Kartoffeln, den Sellerie und den Lauch putzen, waschen, gut abtropfen lassen, würfeln, zur Zwiebel geben und kurz mitschwitzen.

4. Mit Weißwein ablöschen, mit der Gemüsebrühe auffüllen und die Lorbeerblätter, die Nelken und die Pfefferkörner dazugeben.

5. Das Ganze mit Obstessig und Zucker süßsauer abschmecken und bei kleiner Hitze 15 Minuten köcheln lassen.

6. Anschließend die Fischfilets in den Sud legen und weitere 8–10 Minuten garziehen lassen.

7. Die Fischfilets herausnehmen, gut abtropfen lassen, das Gemüse nochmals abschmecken, anrichten, die Fischfilets darauflegen und mit einem Klacks saurer Sahne oder Sahnedickmilch überziehen, ausgarnieren und servieren.

FÜR 4 PERSONEN:
500 g küchenfertige, kleine Tintenfische
Saft von 1 Zitrone
einige Tropfen Worcestersauce
Salz
Pfeffer aus der Mühle
2–3 EL Butterschmalz

FÜR DIE SAUCE:
2 Zwiebeln
1 Knoblauchzehe
1/2 TL Salz
1 Stück Lauch, 2 Äpfel
1 Prise Zucker
Saft von 1 Zitrone
1 Tasse Apfelsaft
3/8 l Gemüsebrühe
1 Becher Sahne
1 Prise Zucker
1 Prise Cayennepfeffer
je 1 Zweig Thymian, Estragon und Rosmarin
500 g gekochte Kartoffeln
3–4 EL Butter oder Margarine
1 Prise Muskat

Tintenfischspieße mit Apfelsauce und Kartoffelschnee

1. Die Tintenfische waschen, trockentupfen, mit Zitronensaft und Worcestersauce beträufeln, mit Salz und Pfeffer würzen und auf Spieße stecken.

2. Die Tintenfischspieße im Butterschmalz braten, vom Feuer nehmen und warm stellen.

3. Für die Sauce die gehackten Zwiebeln und die zerriebene Knoblauchzehe glasig schwitzen.

4. Den gewürfelten Lauch dazugeben und mitschwitzen.

5. Die Äpfel entkernen, 4 dünne Scheiben als Garnitur zurückbehalten, den Rest grob hacken und mit Zucker und Zitronensaft sowie dem Apfelsaft vermischen, zu den Zwiebeln geben und kräftig einreduzieren lassen.

6. Die Gemüsebrühe und die Sahne angießen, mit Salz, Pfeffer, Zucker und Cayennepfeffer abschmecken und mit den gehackten Kräutern verfeinern.

7. Die gekochten Kartoffeln mit der Butter oder Margarine durch die Kartoffelpresse treiben und dekorativ anrichten. Mit Salz, Pfeffer und Muskat bestreuen.

8. Die Sauce auf den Teller geben, die Apfelschnitze und die Tintenfischspieße darauflegen, ausgarnieren und servieren.

FÜR 4 PERSONEN:
600 g Kartoffeln
Salzwasser
2-3 Essiggurken
1 Röhrchen Kapern
1 kleines Glas Sardellenfilets
2 Tassen gemischte, gehackte Kräuter (Kerbel, Estragon, Schnittlauch, Dill)
2-3 EL mittelscharfen Senf
1 Glas Mayonnaise
je einige Tropfen Zitronensaft und Worcestersauce
Salz, Pfeffer aus der Mühle
1 Prise Zucker
125 g durchwachsenen geräucherten Speck
2 Zwiebeln
800 g Hering in Gelee

Hering in Gelee mit Speckkartoffeln

1. Die Kartoffeln unter fließendem Wasser gründlich abbürsten, in einen Topf geben, Salzwasser angießen und die Kartoffeln in 20–25 Minuten garen.

2. Die Kartoffeln leicht erkalten lassen und pellen, bereitstellen.

3. Die Gurken und die Kapern gut abtropfen lassen und in sehr feine Würfel schneiden. Die Sardellenfilets waschen und fein hacken.

4. Gurken, Kapern, Sardellenfilets, gehackte Kräuter und Senf zur Mayonnaise geben und alles gut miteinander verrühren.

5. Die Remoulade mit Salz, Pfeffer, Zitronensaft, Worcestersauce, Salz, Pfeffer und Zucker kräftig abschmecken und bereitstellen.

6. Den in feine Würfel oder Streifen geschnittenen Speck in einer Pfanne auslassen.

7. Die feingehackten Zwiebeln dazugeben und glasig schwitzen.

8. Die Kartoffeln dazugeben und kurz mitrösten. Mit Salz und Pfeffer würzen.

9. Den Hering in Gelee portionsweise anrichten, die Speckkartoffeln und die Remoulade dazugeben, das Ganze ausgarnieren und servieren.

FÜR 4 PERSONEN:
2–3 EL Butter/Margarine
1 Gemüsezwiebel
500 g gekochte Rote Beete
1 Tasse Gemüsebrühe
1 Becher Sahnedickmilch
Salz
Pfeffer aus der Mühle
1 Prise Cayennepfeffer
1 Prise Muskat
einige Tropfen Zitronensaft
einige Tropfen Worcestersauce
12 in Buttermilch eingelegte Matjesfilets
4 Portionen Pellkartoffeln
Zwiebelgrün oder Schnittlauch zum Garnieren

Kartoffeln mit Matjes auf Rote–Beete–Püree

1. Die Gemüsezwiebel schälen und fein hacken, mit der Butter oder Margarine in eine Pfanne geben und glasig schwitzen.

2. Die gekochten und kleingeschnittenen Rote Beete dazugeben und kurz mitschwitzen.

3. Die Gemüsebrühe angießen und das Ganze anschließend im Mixer oder mit dem Pürierstab pürieren.

4. Die Sahnedickmilch dazugeben und kräftig durchmixen.

5. Das Ganze mit Salz, Pfeffer, Cayennepfeffer, Muskat, Zitronensaft und Worcestersauce kräftig abschmecken.

6. Die Matjesfilets gut abtropfen lassen und zusammenrollen.

7. Das Rote-Beete-Püree dekorativ auf Tellern anrichten und die Matjesfilets darauf legen.

8. Die Pellkartoffeln pellen, zu den Matjesröllchen geben. Das Ganze mit frisch geschnittenem Zwiebelgrün oder Schnittlauch bestreuen, ausgarnieren und servieren.

FÜR 4 PERSONEN:
4 Seelachsfilets à 200 g
einige Tropfen Zitronensaft
einige Tropfen Worcestersauce
Salz
Pfeffer aus der Mühle
1 Zwiebel
2–3 EL Butter oder Margarine
1 Knoblauchzehe
400 g Kartoffeln
1 große Paprikaschote
1 Zucchino
1 Tasse gemischte, gehackte Kräuter (Thymian, Basilikum, Rosmarin, Salbei)
2–3 EL kernlose schwarze Oliven
1 Glas Weißwein
1/4 l Fisch- oder Gemüsebrühe
1 Prise Cayennepfeffer'
1 Prise Muskat
1 Prise Zucker
4–6 Tomaten

Seelachs Provence

1. Die küchenfertigen Fischfilets unter fließendem Wasser waschen, trockentupfen, mit Zitronensaft und Worcestersauce beträufeln, mit Salz und Pfeffer würzen und im Kühlschrank 10–15 Minuten ziehen lassen.

2. Die Butter oder Margarine in einer Auflaufform erhitzen, und die geschälte und feingehackte Zwiebel glasig schwitzen.

3. Die geschälte Knoblauchzehe mit Salz zu einer Paste zerreiben, zu den Zwiebeln geben und ebenfalls kurz mitschwitzen.

4. Die geschälten Kartoffeln und den Zucchino in Scheiben schneiden und mit der geputzten und in Streifen geschnittenen Paprikaschote ebenfalls mitbraten.

5. Die Oliven dazugeben und das Ganze mit Weißwein und Gemüsebrühe auffüllen.

6. Die gehackten Kräuter untermischen, das Gemüse mit Salz Pfeffer, Cayennepfeffer und Muskat kräftig abschmecken.

7. Die geschälten, entkernten und geviertelten Tomaten und die Seelachsfilets daraufsetzen und das Ganze in dem auf 180–200 ° C vorgeheizten Backofen 25–30 Minuten garen.

8. Den Seelachs Provence herausnehmen, anrichten, ausgarnieren und servieren.

FÜR 4 PERSONEN:
je 400 g Seelachs- und Kabeljaufilet
einige Tropfen Weißweinessig
einge Tropfen Worcestersauce
Salz
Pfeffer aus der Mühle
1 Kopf Weißkraut
2–3 EL Butter oder Margarine
1 Zwiebel
400 g gekochte Kartoffeln
1 Schuß Weißwein
1/4 l Gemüsebrühe
1 Prise Cayennepfeffer
1 Prise Kümmelpulver
2 cl Pernod
1 Bund Petersilie

Weißkraut–Kartoffelpfanne mit Fisch

1. Die küchenfertigen Fischfilets unter fließendem Wasser waschen, trockentupfen und mit Weißweinessig und Worcestersauce beträufeln.

2. Mit Salz und Pfeffer würzen und im Kühlschrank 10–15 Minuten ziehen lassen.

3. Das Weißkraut putzen, in Streifen schneiden. Das Fett in einer Pfanne erhitzen und die geschälte, feingehackte Zwiebel darin glasig schwitzen.

4. Die in Scheiben geschnittenen Kartoffeln mit den Weißkrautstreifen zu den Zwiebeln geben und kurz braten.

5. Mit einem Schuß Weißwein ablöschen und mit der Gemüsebrühe auffüllen. Das Ganze bei mäßiger Hitze 15–20 Minuten köcheln lassen.

6. Die Fischfilets in Würfel schneiden, zum Gemüse geben und nochmals 8–10 Minuten köcheln lassen.

7. Die Fischpfanne nochmals abschmecken, anrichten, mit gehackter Petersilie bestreuen und servieren.

FÜR 4 PERSONEN:
1 küchenfertigen Kabeljau (800 g)
Saft von 1 Zitrone
einige Tropfen Worcestersauce
Salz
Pfeffer aus der Mühle
500 g Wirsing
100 g durchwachsenen Speck
2–3 EL Butter oder Margarine
1 Zwiebel
500 g mehligkochende Kartoffeln
1 Prise Cayennepfeffer
1 Prise Muskat

AUSSERDEM
2-3 EL Butter oder Margarine für die Form
1 Schuß Weißwein
1/8 l Fisch- oder Gemüsebrühe
1 Bund Petersilie

Kabeljau in Kartoffel–Wirsingbett

1. Den küchenfertigen Kabeljau unter fließendem Wasser waschen, trockentupfen, mit Zitronensaft und Worcestersauce marinieren. Mit Salz und Pfeffer würzen und im Kühlschrank 10–15 Minuten ziehen lassen.

2. Den Wirsing putzen, kurz in Salzwasser blanchieren und in Streifen schneiden.

3. Den Speck in Würfel schneiden und in einer Pfanne auslassen. Die Butter oder Margarine dazugeben und die geschälte und feingehackte Zwiebel darin glasig schwitzen.

4. Den Wirsing zu der Speckzwiebel geben und ebenfalls kurz mitschwitzen. Mit Salz, Pfeffer, Cayennepfeffer und Zucker kräftig abschmecken und mit den geschälten und in Scheiben geschnittenen Kartoffeln in eine gebutterte Auflaufform schichten,

5. Den Weißwein und die Gemüsebrühe angießen, den Kabeljau daraufsetzen und das Ganze im auf 180–200 °C vorgeheizten Backofen 20–30 Minuten garen.

6. Nach Ablauf der Garzeit den Kabeljau auf Kartoffel-Wirsingbett herausnehmen, anrichten und mit gehackter Petersilie bestreut servieren.

FÜR 4 PERSONEN:
1 kg Kartoffeln
Salzwasser
1EL Kümmel
4 Eier
Haferflocken zum Binden
Salz
Pfeffer aus der Mühle
1 Prise Muskat
1 Prise Cayennepfeffer
Butterschmalz zum Ausbacken

FÜR DIE SAUCE
2 Becher Sahnedickmilch
1 Zwiebel
1 EL grüne Pfefferkörner
2-3 EL mittelscharfen Senf
Saft von 1 Zitrone
Salz
Pfeffer aus der Mühle
1 Prise Zucker
etwas Worcestersauce
1 Bund Dill

AUSSERDEM
400 g gebeizten Räucherlachs

Kartoffelpuffer mit Dilldip

1. Die Kartoffeln in Salzwasser mit Kümmel kochen, anschließend durch die Kartoffelpresse treiben.

2. Die Eier darunterschlagen und die Kartoffelmasse mit Haferfocken leicht binden.

3. Mit Salz, Pfeffer, Muskat und Cayennepfeffer abschmecken.

4. Das Schmalz in einer Pfanne erhitzen, den Teig mit einem Eßlöffel in die Pfanne geben, kleine Küchlein ausbacken und bis zum Servieren warmstellen.

5. Die Dickmilch glattrühren, die feingehackte Zwiebel, die Pfefferkörner, den Senf und den Zitronensaft darunterziehen.

6. Mit Salz, Pfeffer und Worcestersauce abschmecken, den feingehackten Dill untermischen, den Lachs darauf legen, mit Sauce überziehen, ausgarnieren und servieren.

Kartoffel- Hackfleischgratin

FÜR 4 PERSONEN:
1 kg Kartoffeln
1 Zwiebel
2–3 EL Butter oder Margarine
2 Knoblauchzehen
400 g gemischtes Hackfleisch
1 Bund Frühlingszwiebeln
Salz
Pfeffer aus der Mühle
1 TL Rosmarin
1 Becher Sahne
250 g geriebenen Holland-Gouda
75 g Frühstücksspeck

1. Die Kartoffeln schälen, waschen und in dünne Scheiben schneiden.

2. Die Zwiebel schälen, fein hacken, mit der Butter oder Margarine in einer Pfanne glasig schwitzen.

3. Die Knoblauchzehen schälen, fein hacken, zur Zwiebel geben und kurz anschwitzen.

4. Das Hackfleisch dazugeben und unter ständigem Rühren braten.

5. Die verlesenen, gewaschenen und in Scheiben geschnittenen Frühlingszwiebeln zum Fleisch geben und kurz mitbraten.

6. Das Ganze mit Salz, Pfeffer, Cayennepfeffer und etwas Rosmarin würzen.

7. Eine ausgefettete Auflaufform mit einer Schicht Kartoffelscheiben auslegen. Mit Rosmarin, Salz und Pfeffer bestreuen und die Hackfleischmasse gleichmäßig darauf verteilen.

8. Die Sahne angießen, etwas geriebenen Käse darüber streuen und mit den restlichen Kartoffelscheiben abdecken.

9. Das Kartoffelgratin mit dem restlichen Käse bestreuen, mit Butterflöckchen belegen und im auf 180–200 °C vorgeheizten Backofen 40–50 Minuten mit Alufolie bedeckt garen.

10. Den in feine Würfel geschnitttenen Speck über den Auflauf streuen und weitere 10–15 Minuten goldgelb überbacken, herausnehmen, anrichten, ausgarnieren und servieren.

Spinatgemüse mit Schinken

FÜR 4 PERSONEN:
1-2 EL Olivenöl
1 Gemüsezwiebel
2 Knoblauchzehen
1 TL Salz
600 g jungen Blattspinat
Salz
Pfeffer aus der Mühle
1 Prise Cayennepfeffer
1 Prise Muskat
200 g gekochten Schinken
4 Eier
4 Portionen Petersilienkartoffeln

1. Das Öl in einer Pfanne erhitzen und die geschälte und feingehackte Zwiebel darin glasig schwitzen.

2. Die Knoblauchzehe mit dem Salz zu einer Paste zerreiben, zu den Zwiebeln geben und kurz mitschwitzen.

3. Den verlesenen, gewaschenen und gut abgetropften Blattspinat zerpflücken, zu den Zwiebeln geben und bei mäßiger Hitze 6-8 Minuten dünsten.

4. Den Spinat mit Salz, Pfeffer, Cayennepfeffer und Muskat kräftig abschmecken, gut abtropfen lassen und in eine ausgefettete Auflaufform geben.

5. Den Schinken in etwas Butter kurz braten und auf den Spinat legen.

6. Die Eier aufschlagen, vorsichtig auf den Schinken geben und das Ganze im auf 180-200° C vorgeheizten Backofen 10-12 Minuten backen.

7. Das Spinatgemüse herausnehmen, anrichten und mit den Petersilienkartoffeln servieren.

FÜR 4 PERSONEN:
16 kleine Kartoffeln
500 g Blumenkohlröschen
2 rote Paprikaschoten
250 g Schalotten
500 g Zucchini
200 g Champignons
Gemüsebrühe zum Blanchieren

FÜR DEN TEIG
150 g Mehl
30 g flüssige Butter
150 ml Weißwein
Salz
Pfeffer aus der Mühle
1Prise Muskatpulver
1 Prise Cayennepfeffer
2 Eiweiß
1,5 l Öl- oder Pflanzenfett
verschiedene Fonduesaucen und Dips

Kartoffelfondue in Weinteig

1. Die Kartoffeln waschen und in Salzwasser bißfest garen.

2. Die Blumenkohlröschen, Paprikaschoten, Schalotten, Zucchini und Champignons putzen und würfeln.

3. Die Brühe erhitzen und das Gemüse portionsweise bißfest garen, herausnehmen und bereitstellen.

4. Die Kartoffeln schälen.

5. Das Mehl mit der flüssigen Butter und dem Weißwein glattrühren.

6. Mit Salz, Pfeffer, Muskat und Cayennepfeffer würzen und das steifgeschlagene Eiweiß unterheben.

7. Das Pflanzenfett in einem Fonduetopf erhitzen und mit den Fonduesaucen und den Dips servieren.

8. Das Gemüse portionsweise auf Spieße stecken und im schwimmenden Öl garen.

FÜR 4 PERSONEN:
1,2 kg kleine festkochende Kartoffeln
Salzwasser
1 EL Kümmel
Öl- oder Pflanzenfett

AUSSERDEM
1 Schale geröstete Speckwürfel
1 Schale Speckzwiebeln
1 Schale Essiggemüse
1 Schale Schnittlauchquark
1 Schale Kaviarcreme
1 Schale Tsatsiki
1 Schale Kräuterbutter
1 Schale Eiercreme
1 Schale gehackte Frühlingszwiebeln
Bauern- und Weißbrot

Kartoffelparty

1. Die Kartoffeln unter fließendem Wasser abwaschen, gut abtropfen lassen und in einen Topf geben.

2. Das Salzwasser mit dem Kümmel angießen und die Kartoffeln bißfest garen. Anschließend herausnehmen, gut abtropfen lassen und in einer Schüssel auf den Tisch stellen.

3. Das Öl oder Pflanzenfett in einem Fonduetopf erhitzen, mit den Speckwürfeln, den Speckzwiebeln, dem Essiggemüse, dem Schnittlauchquark, der Kaviarcreme, dem Tsatsiki, der Kräuterbutter, der Eiercreme und den Frühlingszwiebeln dekorativ auf den Tisch stellen.

4. Die Kartoffeln auf Fonduegabeln spießen und im heißen Fett backen, herausnehmen und mit Bauernbrot oder Weißbrot servieren.

Buttermilchhähnchen auf Kartoffeln

FÜR 4 PERSONEN:
4 Hähnchenkeulen
1/4 l Buttermilch
1 Zwiebel
1 Lorbeerblatt
einige Wacholderbeeren und Pfefferkörner
1 EL Kräuter der Provence
2 El Meersalz

AUSSERDEM
800 g gekochte Kartoffeln
Olivenöl zum Backen
Salz
Pfeffer aus der Mühle
1 Prise Kümmel und Cayennepfeffer
1 Becher Sahnedickmilch
Saft von 1 Zitrone
1 Bund Schnittlauch
1Prise Zucker

1. Die Hähnchenkeulen waschen und in eine Schüssel geben.

2. Die Buttermilch mit der feingehackten Zwiebel, dem zerriebenen Lorbeerblatt, den geschroteten Wacholderbeeren und Pfefferkörnern, den Kräutern der Provence und dem Meersalz vermischen und über die Hähnchenkeulen geben.

3. Die Hähnchenkeulen im Kühlschrank 24 Stunden ziehen lassen.

4. Kartoffeln in Scheiben schneiden, auf ein gefettetes Blech setzen. Mit Salz, Pfeffer, Kümmel und Cayennepfeffer bestreuen und die Kartoffeln im auf 180-200 °C vorgeheizten Ofen rösten.

5. Die Hähnchenkeulen in Öl braten.

6. Die Dickmilch mit dem Zitronensaft glattrühren, den geschnittenen Schnittlauch untermischen, mit Salz Pfeffer und Zucker abschmecken.

7. Die Kartoffeln anrichten, die Keulen sowie 1 Salatblatt und 1 Tomatenscheibe darauflegen, die Dickmilch darübergeben, ausgarnieren und servieren.

Scholle auf Gemüsebett

FÜR 4 PERSONEN:
4 küchenfertige Schollen
einige Tropfen Zitronensaft
einige Tropfen Worcestersauce
Salz
Pfeffer aus der Mühle
300 g Kartoffeln
2 Kohlrabi
2 Karotten
1 Fenchelknolle
1–2 EL Butter oder Margarine
1 Zwiebel
1/2 l Gemüsebrühe
1/2 Tasse Obstessig
1/2 Tasse Weißwein
4 cl Pernod
1 Bund Dill

1. Die Filets waschen, trockentupfen, mit Zitronensaft und Worcestersauce beträufeln, mit Salz und Pfeffer würzen und im Kühlschrank 20 Minuten ziehen lassen.

2. Die Kartoffeln und Kohlrabi würfeln, die Karotten und die Fenchelknolle in Streifen schneiden.

3. Das Fett in einem Topf erhitzen und die feingehackte Zwiebel darin glasig schwitzen.

4. Das Gemüse dazugeben und kurz mitschwitzen.

5. Mit der Gemüsebrühe, dem Obstessig und dem Weißwein auffüllen und das Ganze bei mäßiger Hitze 8–10 Minuten ziehen lassen.

6. Den Gemüsesud mit Pernod aromatisieren, mit Salz und Pfeffer würzen und die Hälfte des geschnittenen Dills dazugeben.

7. Die Schollenfilets in den Sud legen und bei mäßiger Hitze 18–20 Minuten garziehen lassen.

8. Die Schollenfilets anrichten. Den Gemüsesud abschmecken, auf den Schollenfilets anrichten, mit dem restlichen Dill bestreuen, ausgarnieren und servieren.

FÜR 4 PERSONEN:
4 Heilbuttfilets à 250 g
einige Tropfen Worcestersauce
einige Tropfen Zitronensaft
Salz
Pfeffer aus der Mühle
2–3 EL Butter oder Margarine
1 Zwiebel
4 Karotten
1 Stück Sellerie
1 Stange Lauch
1 Glas Weißwein
1/2 l Gemüsebrühe
2 Lorbeerblätter
einige Nelken und Pfefferkörner
1 Schuß Obstessig
1 Prise Zucker

FÜR DIE SAUCE:
1 Becher Sahne-Dickmilch
2-3 EL mittelscharfen Senf
Saft von 1 Zitrone
1 Prise Zucker
1 Bund Dill

Heilbuttfilets mit Gemüse

1. Die Heilbuttfilets mit Worcester-sauce und Zitronensaft beträufeln, salzen, pfeffern, im Kühlschrank 10–15 Minuten ziehen lassen.

2. Das Fett erhitzen und die feingehackte Zwiebel darin anschwitzen.

3. Karotten, Sellerie und Lauch würfeln, zur Zwiebel geben und kurz mitschwitzen.

4. Mit Weißwein ablöschen und mit der Gemüsebrühe auffüllen.

5. Die Lorbeerblätter, Nelken und Pfefferkörner dazugeben, mit Obstessig leicht säuern, mit Salz, Pfeffer und Zucker abrunden.

6. Die Filets in den Sud legen und 8–10 Minuten garziehen lassen.

7. Die Dickmilch mit Senf und Zitronensaft glattrühren, mit Salz, Pfeffer, Zucker abrunden und den feingehackten Dill untermischen.

8. Das Gemüse aus dem Sud nehmen und auf heiße Teller legen. Die Heilbuttfilets daraufsetzen, mit einem Klacks Dillsauce überziehen und mit Butterkartoffeln servieren.

Spargel mit Kressesauce

FÜR 4 PERSONEN:
1,5 kg frischen Spargel
1 l Milch
je 1 Prise Zucker, Salz, Cayennepfeffer und Muskat

FÜR DIE SAUCE:
400 g Magerquark
Pfeffer aus der Mühle
Saft von je 1/2 Zitrone und Orange
2 Kästchen Kresse

AUSSERDEM:
4 hartgekochte Eier
1 kg Pellkartoffeln

1. Den Spargel dünn schälen und das untere Ende abschneiden.

2. Die Milch in einen Topf geben, mit Zucker, Salz, Cayennepfeffer und Muskat würzen und erhitzen.

3. Den Spargel in den Sud legen und bißfest garen.

4. Den Quark mit einer Tasse Spargelsud glattrühren.

5. Die Sauce mit Salz, Pfeffer, Cayennepfeffer und Zucker abschmecken, mit Zitronen- und Orangensaft aromatisieren.

6. Die Kresse kleinschneiden, unter die Sauce heben und abschmecken.

7. Den Spargel aus dem Sud nehmen, abtropfen lassen und anrichten. Die Eier pellen, fein hacken und auf den Spargel streuen.

8. Die Kressesauce gleichmäßig auf dem Spargel verteilen, die Pellkartoffeln abgießen und mit dem Spargel servieren.

Steaks mit Spargel und Tomaten–Kartoffeln

FÜR 4 PERSONEN:
4 Steaks à 200 g (Rind-, Kalb- oder Schweinesteaks)
1 Tasse Olivenöl
2 Knoblauchzehen
1 TL Salz
1 EL Kräuter der Provence

FÜR DAS SPARGELGEMÜSE:
800 g Spargel
Saft von 1 Zitrone
1/2 l Gemüsebrühe
3/8 l Béchamel-Sauce

FÜR DIE TOMATEN-KARTOFFELN:
2-3 EL Butter oder Margarine
1 Zwiebel
4 Tomaten
500 g gek. Kartoffeln
Salz
Pfeffer aus der Mühle
1 Bund Schnittlauch

1. Das Öl mit den mit Salz zerriebenen Knoblauchzehen und den Kräutern vermischen. Die Steaks damit überziehen und 6–8 Stunden ziehen lassen.

2. Den Spargel schälen und in Zitronenwasser legen, in mundgerechte Stücke schneiden und in der Brühe bißfest garen.

3. Die Spargelstücke aus dem Sud nehmen und in der Béchamel–Sauce erhitzen.

4. Das Fett erhitzen und die feingehackte Zwiebel glasig schwitzen.

5. Die gewürfelten Tomaten mit den gekochten und ebenfalls gewürfelten Kartoffeln dazugeben.
Das Ganze erhitzen, abschmecken und den Schnittlauch unterheben.

6. Die Steaks salzen, pfeffern und braten.
Abschließend anrichten, mit dem Spargelgemüse und den Tomaten–Kartoffeln servieren.

Register

Impressum

Wir danken für die freundliche Unterstützung der Firmen:

Adam: 43, 69, 147,

Biskin:108,

Bresso Frischkäse: 29, 63, 71, 89, 101, 103,

Carmel: 127,

CMA Butterschmalz: 49, 68, 77, 102, 106, 145,

Deutsche Ei-Information: 39, 65, 111, 119, 128, 129, 137, 155,

Fischwirtschaftliches Marketing Institut: 41, 130, 131, 148, 150, 151, 152,

Hochland: 27, 107, 142, 143,

Knorr/Maizena: 105, 135,

Langnese-Iglo GmbH: 45,

Livio: 95,

Milkana: 36, 99, 115,

Molkerei Müller Aretsried: 8/9, 11 ,13, 18, 26, 30, 31, 33, 35, 42, 52, 53, 54, 55, 56, 57, 58, 59, 60, 65, 73, 75, 78/79, 81, 83, 90, 96, 97, 100, 113, 120, 123, 124/125, 134, 149, 153, 157, 159, 161,

Soja Öl, Dr. Muth PR 6/7 84, 93, 109,

Thomy 50/51, 62, 88, 94, 139, 156,

USA Sonnenblumenkerne: 87, 114,

Genehmigte Lizenzausgabe
UNIPART VERLAG GMBH
Remseck bei Stuttgart, 1997

ISBN 3-8122-3559-5